BASEADO NOS ENSINAMENTOS DO
SISTEMATIZADOR DeRose

ELABORADO POR
MELINA FLORES

INTELIGÊNCIA
CORPORAL

Variações, fotos e dicas para desvendar o caminho do conhecimento latente na técnica orgânica.

UNIVERSIDADE DE YÔGA

Registrada nos termos dos artigos 18 e 19 do Código Civil Brasileiro sob o nº 37959 no 6º Ofício
www.Uni-Yoga.org

Dados Internacionais de Catalogação na Publicação (CIP)
(Elaborado pelo Autor)

Flores, Melina, 1981 -

Inteligência corporal | Melina Flores - Rio de Janeiro: 2013

Primeira Universidade de Yôga do Brasil, 1995.

Inclui bibliografia.

1. Yôga 2. DeRose 3. Corpo e mente 4. Yôga na literatura 5. Mestres de Yôga. 6. Título

Esta obra foi adotada como livro-texto dos cursos de extensão universitária para Formação de Instrutores de Yôga nas Universidades Federais, Estaduais e Católicas organizados pela Universidade de Yôga, e é recomendada pela Confederação Nacional de Yôga.

BASEADO NOS ENSINAMENTOS DO

SISTEMATIZADOR DeROSE

Professor Doutor *Honoris Causa* pelo Complexo de Ensino Superior de Santa Catarina
Notório Saber pela Faculdade Pitágoras (MG), pelas Faculdades Integradas Coração de Jesus (SP) etc.
Comendador por várias entidades culturais e humanitárias
Conselheiro Emérito da Ordem dos Parlamentares do Brasil
Conselheiro da Academia Brasileira de Arte, Cultura e História
Grão-Mestre Honorário da Ordem do Mérito das Índias Orientais, de Portugal
Adido Cultural da Université de Yôga de Paris e do Yôga College of London

ELABORADO POR

MELINA FLORES

Supervisionada pelo Sistematizador DeRose
Formada pela Universidade Internacional de Yôga (Buenos Aires, Argentina),
e a Universidade Federal do Rio de Janeiro - UFRJ (RJ, Brasil),
Diretora da Unidade Copacabana do Método DeRose, Sede Histórica.

INTELIGÊNCIA

CORPORAL

Variações, fotos e dicas para desvendar o caminho
do conhecimento latente na técnica orgânica.

UNIVERSIDADE DE YÔGA

Registrada nos termos dos artigos 18 e 19 do Código Civil Brasileiro sob o nº 37959 no 6º Ofício

São Paulo: Al. Jaú, 2000 - Tel.: (11) 3081-9821
Rio: Av. Copacabana 583, sala 306 - Tel.: (21) 2255-4243

Endereços nas demais cidades encontram-se no *site*:
www.Uni-Yoga.org

© 2013 Melina Flores

Projeto editorial: Melina Flores

w w w . m e l i n a f l o r e s . o r g

Revisão: DeRose, Edgardo Caramella, Vanessa de Holanda, Rosângela de Castro, Diana Raschelli, Anahí Flores, Yael Barcesat, Gabriela Santermer

Fotos do interior: Flávia Lamego (Brasil) e Daniela Arena (Itália)

Tratamento das fotos: Flávia Lamego

Digitação e diagramação: Melina Flores

Execução da capa: Flávia Lamego

Revisão do português: Ana Claudia Müller, Marina Vilas Boas, Leonardo Crivelli Doná

Modelos das fotos:

Ana Claudia Müller, Antonio Prates, Bruno Sousa, Carlo Mea, Daniel Suassuna, Gisele Correa, Joaquim Roxo, Márcio Rossetti, Marina Vilas Boas, Melina Flores, Rafael Ramos, Rafaella Coelho, Sandro Thomas, Tatiane Nascimento, Virginia Barbosa.

1ª edição em Portugal, 2013 | *Inteligência corporal* | 1000 exemplares

1ª edição no Brasil, 2013 | *Inteligência corporal* | 2000 exemplares

Impressão:
Gráfica VIDA & CONSCIÊNCIA

Permitem-se as citações de trechos deste livro em outros livros e órgãos de Imprensa, desde que mencionem a fonte e que tenham a autorização expressa do autor.

Proíbe-se qualquer outra utilização, cópia ou reprodução do texto, ilustrações e/ou da obra em geral ou em parte, por qualquer meio ou sistema, sem o consentimento prévio do autor.

Agradecimentos

Muitas pessoas participam da realização de um livro. Chega a parecer injusto colocar o nome de apenas uma como autor.

Agradeço aqui a tantas pessoas especiais que dedicaram seu tempo e colocaram seu conhecimento para contribuir na realização desta obra!

À Flávia Lamego, aluna querida que fotografou e trabalhou cada imagem, somando seu olhar aguçado para elevar a qualidade deste trabalho.

Aos modelos das fotos – instrutores e apresentadores de coreografia – que realizaram impecavelmente cada uma das posições.

Às revisoras de idioma, instrutoras Ana Claudia Müller e Marina Vilas Boas, monitoradas queridas, que com carinho e paciência cuidam, a cada dia, de polir meu português, língua que adotei quando me mudei para o Brasil.

Aos revisores de conteúdo – professores e Mestres – que abriram espaço na sua agenda para somar a este livro o seu conhecimento.

Aos amigos Federico Giordano e Eduardo Cirilo, pelas contribuições preciosas para a edição deste livro.

Ao Diego Nogueira, shakta, amigo, parceiro de todas as horas.

Melina

Melina Flores
vírásana • nandi mudrá

Dedicatória

Dedico este livro ao meu Supervisor e Mestre, DeRose,
ao meu Monitor e Professor, Edgardo Caramella,
por tantos ensinamentos, paciência
e carinho que me dedicaram
transformando, assim, a minha vida,
dando-me uma profissão, um ideal, uma nova família.

Aos meus pais, Diana e Julio, pois me educaram
e formaram a pessoa que sou, com o seu exemplo incansável.
Por terem sempre me apoiado, mostrando o caminho,
mas respeitando também as minhas escolhas.

À minha irmã, Anahí, que um dia me levou
a experimentar uma prática talvez sem saber
o quanto isso afetaria – para melhor – as nossas vidas;
que, um dia, também me "empurrou" ao curso de coreografias de DeRose,
despertando, a partir daí, o meu gosto especial pelo ásana
e o meu amor pelas coreografias;
que, um dia, me trouxe ao Brasil
para expandir o meu horizonte...

Aos meus monitorados e alunos queridos
que me estimulam no dia a dia a buscar sempre
crescer como pessoa, autossuperar-me como professora.

ardha kákásana • bhrámára mudrá

Sobre a utilização do sânscrito

A obra trata das **técnicas orgânicas do Yôga Antigo**. Como todas desta filosofia milenar, elas têm um nome sânscrito: **ásana**.

A pronúncia correta dessa língua antiga, hoje já morta, é fundamental para a preservação da Cultura Ancestral – sem nos esquecer também da própria força das palavras, quando pronunciadas corretamente.

Sendo assim, estude através do CD ***Sânscrito – Treinamento de Pronúncia***, gravado na Índia pelo Sistematizador DeRose junto ao Dr. Muralitha, professor de sânscrito para hindus.

Para saber o significado dos termos, recomendamos a consulta do glossário ao final do livro e do ***Léxico de Yôga Antigo***, da Profa. Lucila Silva.

Na presente obra, os termos sânscritos serão grafados com caracteres latinos – transliterados – diferentes da sua escrita original em dêvanágarí. A fim de facilitar a compreensão e boa leitura, reproduzimos aqui um fragmento do livro ***Tratado de Yôga***, de DeRose, que nos ensina o som de algumas das letras na transliteração por nós adotada:

a	*aberta, curta, como em Jaci (sútra);*
á	*aberta, longa, como em arte (dháraná);*
ê	*sempre fechada, como em dedo (Vêda);*
ô	*sempre fechado, como em iodo (Yôga);*
ch ou c	*pronuncia-se como em tchê (chakra);*
g	*sempre gutural como em garganta (Gítá);*
j	*pronuncia-se como em Djanira (japa);*
h	*sempre aspirado, como em help (mahá);*
m	*como em álbum (prônam);*

n   *não nasaliza a vogal precedente (prána);*

ñ, nh   *como no castelhano peña (ájña);*

r   *igual ao r italiano ou como em vidro (rája);*

s   *tem o som de ss, como em passo (ásana);*

sh ou ç   *tem o som de ch como em Sheila (Shaktí).*

z   *não existe essa letra nem esse som no sânscrito!*

· Atenção: o til (˜) jamais pode ser colocado sobre a letra a, nem sobre vogal alguma.

· As palavras sânscritas terminadas em a são geralmente masculinas. Ex.: Shiva, Krishna, Ráma (todos estes, nomes de homens); assim, também se diz o ásana, o chakra, o mantra, o Yôga.

· Os femininos fazem-se geralmente terminando em í acentuado. Ex: Párvatí, Lakshmí, Kálí, Saraswatí, Dêví, Shaktí, Kundaliní, etc.

· O sânscrito não faz plural com s. No entanto, quando escrevermos os termos sânscritos isoladamente no meio de textos em português, espanhol, francês, inglês, é adequado observar o plural com s.

Sobre o exame médico

Cabe ressaltar, neste momento, que é indispensável o acompanhamento de um médico antes de começar as suas práticas. Nos textos da antiguidade, o Yôga esteve sempre associado aos conceitos de força, poder e energia; uma prática dinâmica, feita em formato coreográfico, com atuação verdadeiramente intensa e imediata sobre o corpo.

O profissional médico deverá indicar se existe alguma restrição para a execução das técnicas; o instrutor se baseará nessa recomendação médica para orientar a prática. Por exemplo, se você tiver qualquer tipo de problema cardíaco e/ou pressão alta, deverá, desde já, abster-se das posições invertidas.

Contamos com a disciplina e o bom senso do leitor para seguir estas indicações!

parshwa pádaprasáranásana • swástika mudrá

Índice

Agradecimentos	5
Dedicatória	7
Sobre a utilização do sânscrito	9
Sobre o exame médico	11
Definições	15
Prefácio do Sistematizador DeRose	17
Prefácio de Edgardo Caramella	19
Introdução	21
O que é ásana?	23
Características do ásana	23
As origens dos ásanas	25
O ásana dentro da prática completa	27
As técnicas se somam	27
1ª parte: mudrá	28
2ª parte: pújá	29
3ª parte: mantra	29
4ª parte: pránáyáma	29
5ª parte: kriyá	30
6ª parte: ásana	31
7ª parte: yôganidrá	31
8ª parte: samyama	31
A prática balanceada	33
Primeiro critério	33
Segundo critério	34
Categorias de ásana	37
As técnicas nem sempre se encaixam em apenas uma categoria	39
Lateroflexões	41
Distintos tipos e intensidades	41
Erros mais comuns	44
Posições de equilíbrio	47
Torções	55
Anteflexões	61
Retroflexões	67
Invertidas	73
Shavásanas, posições deitadas para descontração	85
Dhyánásanas, posições sentadas para meditação	89
Musculares	93
Tração	101

Abertura pélvica	103
Contexto e codificação	105
Fases passiva e ativa	111
Variações sukha, ardha, rája e mahá	111
As variações sukha para conquistar a permanência no ásana	112
Dinamização do ásana na fase ativa	113
Aplicando as regras gerais de execução	115
Respiração coordenada	117
Anteflexões	117
Lateroflexões	119
Retroflexões	120
Torções	121
Musculares	122
Equilíbrios	124
Permanência	125
Um segundo é o início da permanência	126
Repetição	127
Localização da consciência	129
Mentalização	131
Mentalização exotérica	131
Cores	131
Imagens	132
Verbalização positiva	133
Mentalização esotérica	133
Ângulo didático	135
Compensação	139
Compensação em série	143
Segurança	147
A prática projeta-se para fora da sala: o ásana no dia a dia	149
Prática, treinamento e demonstração	151
Construa arquétipos, reforce ideias, conquiste ásanas	153
A variação mais avançada	153
O ásana sem corpo	154
Mensagem aos praticantes	155
A seleção das técnicas orgânicas para a prova de aula na Federação	157
Chegamos ao fim...	161
Glossário de sânscrito	163
Anexo	169

Definições

Yôga é qualquer metodologia estritamente prática que conduza ao samádhi.

Samádhi é o estado de hiperconsciência e autoconhecimento que só o Yôga proporciona.

SwáSthya Yôga é o nome da sistematização do Yôga Antigo.

As características principais do SwáSthya Yôga (ashtánga guna) são:

1. sua prática extremamente completa, integrada por oito modalidades de técnicas;

2. codificação das regras gerais;

3. resgate do conceito arcaico de sequências encadeadas sem repetição;

4. direcionamento a pessoas especiais, que nasceram para o SwáSthya Yôga;

5. valorização do sentimento gregário;

6. seriedade superlativa;

7. alegria sincera;

8. lealdade inquebrantável.

Texto extraído do livro Tratado de Yôga, de DeRose.

Ásana é toda posição firme e agradável (sthira sukham ásanam).

Do livro Yôga Sútra de Pátañjali, de DeRose, capítulo II, 46.

SISTEMATIZADOR DeRose

Prefácio do Sistematizador DeRose

Inteligência não é só intelectual. Nosso corpo tem uma inteligência instintiva aprendida em milhões de anos de evolução e que pode ser aprimorada por procedimentos corporais. Nosso corpo também tem uma memória, a qual permite que depois de ter aprendido a andar de bicicleta, mesmo não tendo feito isso por vinte ou trinta anos, uma pessoa suba numa bike e saia andando; ou décadas depois de ter praticado um esporte um homem de setenta anos tenha muito mais facilidade ao voltar a praticá-lo que um jovem de vinte que nunca tenha praticado tal esporte.

Essa inteligência corporal pode e deve ser aperfeiçoada para nossa conveniência, bem-estar, saúde e mesmo segurança em caso de acidente.

Um dos acervos de técnicas mais eficientes para tal reeducação denomina-se ásana e provém da tradição hindu milenar. Não tem nada a ver com exercício físico nem desportivo. É uma outra coisa, que deriva de uma filosofia.

Um dia, um aluno meu que era professor de Educação Física teve um pouco de dificuldade para compreender isso, pois estava sob o paradigma da faculdade que fizera. Ele me colocou, de forma muito educada, que se usa o corpo é do domínio da Educação Física. Expliquei-lhe: você agora está sentado à mesa, diante de mim, segurando a caneta com a sua mão e respondendo aos testes mensais da nossa escola. Para cada uma dessas coisas você está usando o seu corpo. Para almoçar você usa o seu corpo. Um dentista ou encanador ou qualquer outro profissional, precisa usar o corpo, porque não consegue deixar o corpo em casa quando vai trabalhar. Nenhuma dessas situações envolve a disciplina Educação Física.

Nossas técnicas são outra coisa. Apenas observando em fotografia isso não fica tão claro, mas quando alguém começa a praticar percebe que não tem nada a ver com ginástica nem com esportes. É muito mais um procedimento orgânico do que físico, no sentido de músculos e articulações. A atuação das nossas técnicas é muito mais interna, neurológica, endócrina e psíquica do que física (no sentido com que esse termo costuma ser aplicado). Isso permite que um praticante do nosso método consiga uma performance extraordinária em pouco tempo, sem dores musculares e que não saia de forma mesmo se parar de praticar por um ano ou mais. É outro paradigma. É outra coisa.

A autora, Profa. Melina Flores, é demonstradora de nível internacional e tem deixado pasmados os alunos e mesmo os profissionais de vários países por onde exibiu sua linda coreografia e por onde ministrou seus memoráveis cursos. Neste livro, Melina nos proporciona um resumo do acervo que utiliza.

Parabéns à autora e a todos nós que recebemos esse presente excepcional.

Comendador DeRose

Doutor *Honoris* Causa pelo Complexo de Ensino Superior de Santa Catarina
Membro do CONSEG – Conselho de Segurança de São Paulo
Conselheiro da Academia Brasileira de Arte, Cultura e História
Grão-Mestre Honorário da Ordem do Mérito das Indias Orientais, de Portugal

Prefácio de Edgardo Caramella

Escrever este prefácio dá-me um grande prazer. Em primeiro lugar, porque se trata de um livro excelente, onde se percebem anos de estudo e prática.

Proporciona-nos grande quantidade de sugestões, informações e dicas que o torna imprescindível para aquele que ensina, necessário para o estudante e extremamente útil para o que está começando.

Ademais, não podemos separar o autor de sua obra e, neste caso, como instrutor e monitor da Melina Flores, posso assegurar sua dedicação, seu empenho e sua constante superação profissional, que se veem refletidos neste excelente livro.

Recomendo a leitura e o estudo desta obra que, sem dúvida, posso afirmar, passa a ser um dos textos mais importantes na sua especialidade.

Parabéns!

Edgardo Caramella
Presidente da Federação de Yôga de Buenos Aires (FIPPYBA)
Coordenador do Colegiado Internacional de Federações de Yôga
Representante da Universidade de Yôga

sukha mandukásana • ardha súrya mudrá

INTRODUÇÃO

O livro que está em suas mãos surgiu, originalmente, como continuação do *Técnicas Corporais do Yôga Antigo* (2005), da mesma autora. Nessa obra, são apresentadas as fotos das 108 famílias de ásanas (técnicas orgânicas) para conhecimento e estudo das principais técnicas.

Com o tempo, os alunos foram mostrando a vontade de que se incluíssem dicas e detalhes que pudessem ajudar na prática. Porém, aquilo tudo parecia exceder a proposta original do livro, e a ideia ficou apenas na cabeça.

Em outubro de 2009, estávamos no evento DeRose Pro Estratégico[1], planejando e projetando metas para o trabalho, quando a Profa. Vanessa de Holanda, querida amiga e Presidente da Federação de Yôga do Rio de Janeiro, sugeriu-me que escrevesse um livro diferente, colocando os conselhos, formas de execução da técnica orgânica e demais detalhes que interessam ao praticante.

Foi o empurrãozinho que faltava! Em seguida, a ideia começou a crescer e logo ganhou forma no papel... ou melhor, no computador.

A IMPORTÂNCIA DE UM INSTRUTOR FORMADO

Para iniciar a sua prática, faz-se necessária a presença de um instrutor formado que ensine as técnicas e faça as devidas correções pessoalmente.

Para aqueles que já praticam, tornar-se-á muito mais simples a compreensão dos assuntos que serão abordados e a sua aplicação na prática.

---

1. A Rede DeRose é constituída por mais de 100 escolas que compartilham um Método e um ideal de vida. Periodicamente, acontecem eventos, em distintos lugares do mundo, que reúnem esses profissionais visando a troca de ideias e o planejamento em conjunto, alavancando com isso o crescimento e o desenvolvimento técnico, pedagógico, ético e filosófico.

Se você ainda não pratica esta filosofia fascinante, visite uma das nossas escolas, presentes hoje, em mais de dez países. Conheça-nos através do site **www.Uni-Yoga.org** que contém, além dos endereços de instrutores recomendados, *downloads* gratuitos de livros e CDs.

Para os praticantes e estudiosos desta tradição, fico à disposição (melina.flores@uni-yoga.org) para esclarecer dúvidas que ainda possam surgir e também para receber seus comentários e sugestões. Quem sabe deem origem a novos capítulos nas próximas edições!

Um abraço e boa leitura,

Melina Flores

Supervisionada pelo Comendador DeRose
Monitorada pelo Mestre Edgardo Caramella
Formada pela União Internacional de Yôga (Buenos Aires, Argentina, 2001)
e pela Universidade Federal do Rio de Janeiro – UFRJ (RJ, Brasil, 2010)
Diretora da Sede Histórica, Unidade Copacabana, Rio de Janeiro, Brasil

O QUE É ÁSANA?

CARACTERÍSTICAS DO ÁSANA

O ásana[2] refere-se à técnica corporal ou procedimento orgânico. Porém, essa tradução do termo é insuficiente para explicá-lo, pois não nos dá a ideia completa do que ele realmente inclui.

Na interpretação original dada por Pátañjali no seu *Yôga Sútra* (séc III a.C.) o termo ásana refere-se a estar bem sentado. De fato, as técnicas por ele mencionadas são apenas dhyánásanas – posições sentadas utilizadas para a meditação. Ainda, na definição de Pátañjali, o ásana deve ser uma posição estável e confortável. Na nossa tradição Shakta, acrescenta-se o elemento estético, que também deve estar presente.

Quando o aluno começa a praticar, ele mal consegue realizar a posição, muito menos vivenciá-la de forma firme e confortável! Só depois de um tempo, com dedicação e prática, ele conquista este primeiro passo e então percebe que também deve haver uma respiração específica. Ao levarmos a consciência para a respiração, em seguida, percebemo-la mais lenta; logo a tornamos mais profunda, aproveitando a região baixa dos pulmões, a região média ou intercostal e a parte alta. Atuamos dessa forma para ampliar a nossa capacidade respiratória[3]. E, num nível mais adiantado, esta respiração poderá adotar um ritmo específico.

---

2. O ásana faz parte do Yôga, filosofia prática de vida surgida há mais de 5.000 anos. Neste livro, iremos referir-nos sempre ao Yôga mais antigo, original e, portanto, mais autêntico, resgatado e sistematizado, na atualidade, sob o nome de SwáSthya – autossuficiência, self dependence – pelo Comendador DeRose.

3. Vale a pena considerar uma teoria anônima que nos diz que todos nascemos com um número X de respirações disponíveis para utilizar durante a vida. Se as gastarmos mais rápido, também morreremos mais rápido! Mesmo tratando-se de uma lenda, como em tantas outras, encontramos nela um fundo de verdade.

Ademais, já tendo conquistadas estas características, o ásana só poderá ser chamado como tal quando incluir também uma atitude interior – com a consciência na região mais solicitada, com uma mentalização específica sobre essa área e, acima de tudo, com bháva (aquele sentimento profundo que confere força a tudo o que realizamos). Sem isso, ainda não é ásana.

Coloquemos essa mesma informação agora em formato de quadro, para melhor visualização:

Extraído do livro *Quadros sinóticos do Yôga Antigo*, do Prof. Rodrigo De Bona.

É claro que conquistar todos esses elementos demanda tempo e dedicação.

O objetivo final da prática é alcançar um estado de hiperconsciência ou consciência expandida. Mas no caminho até chegarmos a esse estado de megalucidez – que, no início da trilha, parece tão distante – o praticante começa a ganhar consciência de algumas outras áreas da vida, mostrando-nos, assim, que estamos no rumo certo: para o corpo físico, para a respiração, para os alimentos que ingerimos, para a forma de trabalhar e de nos relacionar com os amigos, com as pessoas em geral, com o mundo. Só com isso, a nossa qualidade de vida já pode aumentar 100%! Mas ainda há muito mais por aprender...

As origens dos ásanas

Os ásanas surgem, desde as mais remotas épocas, como resultado da observação pelo homem do mundo ao seu redor. Tanto é que grande parte dos nomes deste tipo de técnicas refere-se a animais e plantas, mostrando-nos, dessa forma, a fonte de inspiração primeira na natureza.

Vejamos alguns exemplos deste tipo de termos utilizados para nomear a técnica orgânica (relação que consta no livro *Tratado de Yôga*):

nomes de animais usados nas técnicas:

bhêga = rã;

bhujanga = naja;

gáruda = águia;

gô = vaca;

gôkarna = orelha de vaca;

gômukha = cara de vaca;

hamsa = cisne;

hastina = elefante;

káka = corvo;

kapôta = pombo;

kukkuta = galo;

kúrma = tartaruga;

makara = crocodilo;

matsya = peixe;

mayúra = pavão;

shalabha = gafanhoto;

simha = leão;

ushtra = camelo;

vrishka = escorpião;

nomes de vegetais usados nas técnicas:

banchê = bambu;

kámala = lótus (outro nome: padma);

múla = raiz;

padma = lótus (outro nome: kámala);

tala = palmeira;

vriksha = árvore;

Aprendendo de forma biológica a maneira de exercitar o corpo e estar em forma, o homem proto-histórico deu origem ao mundo de técnicas orgânicas que hoje temos à disposição.

Você já viu algum ser vivo mais ágil, rápido, consciente dos seus movimentos e em melhor condição física do que um felino? Observe o comportamento de um gato: nunca veremos um animal destes fazendo flexões com repetição para fortalecer seus ombros, ou subindo e descendo de um banquinho durante horas para fortalecer as pernas. Como ele faz? Simplesmente se estende plenamente para um lado, ao máximo... para o outro, sem repetição... e pronto! Já está em condições de saltar ou sair correndo a qualquer momento do dia e sem aquecimento.

Vejamos outro exemplo: uma árvore frondosa cujas raízes firmam-se na terra dando-lhe plena estabilidade. Ou então um esbelto junco que se flexiona sob a pressão do vento e depois simplesmente volta a sua posição inicial.

A natureza à nossa volta dá-nos, constantemente, exemplos de comportamento para nos inspirar e aprimorar como pessoas.

É assim que funciona o ásana! Desvendemos, então, os detalhes a seguir.

O ÁSANA DENTRO DA PRÁTICA COMPLETA

AS TÉCNICAS SE SOMAM

A prática básica[4], fundamental, do nosso Método é integrada por oito feixes de técnicas. Tais técnicas não são isoladas, muito pelo contrário, sucedem-se de forma encadeada para conduzir-nos ao longo da prática, rumo à meta da nossa filosofia[5].

Ao enlaçar um grupo de técnicas com o seguinte, eles se somam; sendo assim, eles têm uma ordem bem definida e que não é à toa: mudá-la significaria mudar todo o sentido da prática.

A prática ortodoxa na sua variação ádi[6] (primeiro, fundamental) está constituída pelos seguintes feixes de técnicas (angas) nesta ordem:

- 1º **anga: mudrá** – gesto reflexológico feito com as mãos;
- 2º **anga: pújá** – sintonização com o arquétipo; retribuição de energia;
- 3º **anga: mantra** – vocalização de sons e ultrassons;
- 4º **anga: pránáyáma** – expansão da bioenergia através de respiratórios;
- 5º **anga: kriyá** – atividade de purificação das mucosas;
- 6º **anga: ásana** – procedimento orgânico;
- 7º **anga: yôganidrá** – técnica de descontração;
- 8º **anga: samyama** – concentração, meditação e hiperconsciência.

Quando chegamos ao sexto anga da prática (a técnica orgânica) já vivenciamos mudrá, pújá, mantra, pránáyáma e kriyá, e estas técnicas continuam presentes, potencializando a própria vivência do ásana.

---

4. Seu nome em sânscrito é ády ashtánga sádhana e constitui a prática ortodoxa e principal do nosso Método: *ádi/ády* significa fundamental; *ashta*, oito; *anga*, parte; e *sádhana*, prática.

5. A meta de qualquer linha séria desta filosofia é o samádhi, estado de consciência expandida, de hiperconsciência, que só o Yôga proporciona. Leia mais no livro **Meditação**, de DeRose.

6. Existem outros ashtánga sádhanas, tais como: viparíta, mahá, swá, manasika e gupta, destinados apenas aos instrutores, por serem praticantes com mais experiência.

O fato de as técnicas estarem encadeadas desde o início e ao longo de toda a prática numa verdadeira sequência coreográfica, constitui uma das características do Método: um exercício conduz ao seguinte dando forma, assim, a uma prática extremamente completa, constituída por oito feixes de técnicas[7].

1ª PARTE: MUDRÁ

Atuação principal na prática completa: o primeiro anga, mudrá – numa prática ortodoxa, Shiva mudrá e prônam mudrá – tem o objetivo de gerar o estado de aquietamento e de interiorização para permitir uma boa conexão com a prática que começa. Essa sintonia inicial influencia toda a prática, aprofundando a vivência das técnicas.

Utilização do mudrá dentro do ásana: os mudrás completam o ásana, levando a consciência e a expressividade até as mãos. Utilizam-se, especialmente, os gestos mais simbólicos associados às técnicas orgânicas.

Temos um acervo de 108 mudrás cujas fotos encontram-se no **Tratado de Yôga**. Primeiramente estude-os e, em seguida, explore a sua criatividade na prática enriquecendo os ásanas com os mudrás, tanto na permanência quanto nas passagens coreográficas entre um e outro.

upavishta kônásana • chin mudrá

---

7. Mais de uma vez, ouvi de alunos mais novos e inexperientes a referência de que a prática básica está *dividida* em oito feixes de técnicas. Percebemos, justamente, no termo "dividida" a visão incompleta, para não dizer incorreta, da forma em que se complementam os angas. Às vezes, mudando uma pequena palavra por outra que parece sinônima, acabamos mudando o sentido todo da frase!

2ª PARTE: PÚJÁ

Atuação principal na prática completa: o pújá, numa prática ortodoxa, é realizado em quatro partes: ao local, ao Instrutor, ao Sistematizador do SwáSthya e ao Criador do Yôga.

Trata-se da técnica mais importante da prática, pois estabelece a sintonia com os arquétipos e cria um verdadeiro canal pelo qual flui o conhecimento.

Influência do pújá no ásana: essa sintonia é fundamental para gerar identificação entre o aluno e o Instrutor e, através deste último, com a herança ancestral que representa. O Instrutor torna-se fonte de inspiração do praticante para autossuperar-se e manter a disciplina na prática diligente.

3ª PARTE: MANTRA[8]

Atuação principal na prática completa: no terceiro anga da prática básica, serão realizados kirtans (mantras extroversores) e japas (introversores). Visam desobstruir os canais da bioenergia (nádís) e assim estimulam e limpam o corpo energético[9].

Utilização do mantra dentro do ásana: durante a permanência no ásana, o mantra, evidentemente, deve ser manasika (vocalizado apenas em pensamento). Sendo assim, esta técnica está reservada aos alunos mais avançados[10], que já aprenderam a vocalização correta e foram devidamente corrigidos pelo seu instrutor.

4ª PARTE: PRÁNÁYÁMA

Atuação principal na prática completa. Na prática ortodoxa, logo em seguida aos mantras, que limpam o corpo energético, procedemos aos pránáyámas, cujo objetivo é expandir a bioenergia (prána) no organismo.

---

8. Aprenda sobre mantra no livro *Mantra, vibração infinita*, de Yael Barcesat.

9. Sobre a estrutura do corpo energético leia o livro *Chakras, kundaliní e poderes paranormais*, de DeRose.

10. Considera-se praticante avançado aquele com mais de cinco anos de prática.

Utilização do pránáyáma dentro do ásana. As técnicas respiratórias são, também, parte integrante do ásana – veja o quadro das características do ásana já apresentado no capítulo *O que é ásana?*. Sendo assim, torna-se indispensável, para que o ásana possa ser chamado de tal, manter a **respiração consciente e profunda** que aprendemos no 4º anga da prática.

Para os praticantes mais experientes, acrescenta-se a utilização do **ritmo**, mas isto apenas se a posição continua *firme, estável e confortável*[11].

5ª PARTE: KRIYÁ

Atuação principal na prática completa. Os kriyás são as técnicas de limpeza que precedem a prática da técnica corporal. Não apenas aqueles kriyás secos (que não requerem a utilização de água), realizados no contexto da prática, mas também os outros, que são executados em casa com as orientações de um instrutor formado. E, ainda, de uma forma mais ampla, no dia a dia, o cuidado com a alimentação e os costumes compatíveis com a Nossa Cultura[12].

Influência do kriyá no ásana. Com tempo de prática e hábitos que mantêm a limpeza do corpo, o praticante progressivamente sentirá as articulações mais flexíveis, a musculatura mais alongada, o corpo todo com mais vitalidade e mais resistência. Desta maneira, a atuação das técnicas de limpeza reflete-se no organismo e o praticante consegue um melhor desempenho na técnica orgânica.

6ª PARTE: ÁSANA

Atuação principal na prática completa. Após trabalharmos num nível mais sutil sobre o organismo, praticaremos na sexta parte da prática completa a técnica orgânica. Os exercícios biológicos respeitam o ritmo do corpo de modo a não forçar nem estressar a musculatura, muito pelo contrário: desen-

---

11. A definição de ásana segundo Pátañjali (sábio que viveu no séc. III a.C. e codificou o Yôga Clássico) no seu *Yôga Sútra*.

12. Estude essa proposta alimentar nos livros *Alimentação Vegetariana: chega de abobrinha*, de DeRose, *La Dieta del Yôga*, de Edgardo Caramella e *O Gourmet Vegetariano*, de Rosângela de Castro. Ainda, assista às *webclasses* – de acesso gratuito – relativas a alimentação e a bhúta shuddhi, a purificação intensiva, no *site* www.Uni-Yoga.org; disponíveis também em DVD.

volvem-se a flexibilidade, o alongamento, a resistência, a força muscular e o condicionamento do corpo de modo geral, visando o bem-estar diário e a qualidade de vida.

7ª PARTE: YÔGANIDRÁ[13]

Atuação principal na prática completa. Na vida diária, muitas vezes, deitamo-nos para descansar, mas continuamos pensando em muitas coisas. O resultado é que aqueles minutos, ou horas, destinados supostamente ao aquietamento não cumprem tal função.

No contexto da prática, yôganidrá é a técnica que nos ensina a descontrair a musculatura e descansar plenamente, permanecendo sempre acordados e conscientes. Esse relax profundo possibilita que as técnicas realizadas anteriormente se manifestem e sejam realmente incorporadas. Sem o yôganidrá, isto não ocorre.

Na estrutura desta prática, a descontração acontece logo depois da técnica orgânica e, assim, torna-se ainda mais prazeroso o descanso.

Utilização do ásana no yôganidrá. Neste sétimo anga, será utilizada uma família específica de técnicas denominada shavásana. Veja o capítulo correspondente mais à frente.

8ª PARTE: SAMYAMA[14]

Atuação principal na prática completa. Chegando à última parte da prática, dedicar-nos-emos à técnica que verdadeiramente nos conduzirá à meta do Yôga[15]. Mas é importante destacar que este último anga sem os outros prévios fica fora de contexto. A prática é um todo; é fundamental a execução diária dos outros sete angas para nos catapultar a estados mais profundos de consciência.

---

13. Para aprender especificamente sobre esta parte da prática estude o livro *Relax*, de Anahí Flores.

14. Não sendo este um livro dedicado ao samyama e nem à meditação, pois esses assuntos merecem muito mais explicações, consulte o capítulo sobre samyama no livro *Tratado de Yôga*, de DeRose. Ainda, sobre a fisiologia sutil, a estrutura dos chakras e a kundaliní, estude o livro *Chakras, kundaliní e poderes paranormais*, desse mesmo autor.

15. Lembra-se de qual é a meta? Na definição de DeRose: *Yôga é qualquer metodologia estri-*

Utilização e influência do ásana no samyama. Neste anga da prática, utilizam-se os dhyánásanas, sendo que serão priorizados os de pernas cruzadas e com polaridade – consulte no capítulo *Categorias de ásana, dhyánásanas*.

Mas, para a técnica ser considerada realmente um ásana, deverá ser estável e confortável. Isso é possível graças à execução prévia das técnicas orgânicas que fortaleceram as costas e deram flexibilidade às pernas e aos quadris. Também ganhamos flexibilidade e estrutura na coluna vertebral com todas as flexões e torções, indispensáveis para a ascensão da energia kundaliní, alojada na base da coluna e que sobe por um canal sutil coincidente com ela.

Desta forma, somando as técnicas realizadas que limparam o corpo energético (mantras) ampliaram o caudal de energia (pránáyámas) limparam o corpo físico (kriyás) atuaram para fortalecer o corpo físico (ásanas) e descansaram o corpo para permitir a assimilação (yôganidrá) preparamo-nos verdadeiramente para que os minutos dedicados ao samyama sejam muito melhor aproveitados.

Assim os angas anteriores sucedem-se de forma encadeada para conduzir o praticante a este último anga. E bom samyama!

tamente prática que conduza ao samádhi. Acrescentando ainda a definição de Pátañjali no seu *Yôga Sútra*: Yôgash chitta vritti nirôdhah (sútra I-2), Yôga é a supressão da instabilidade da consciência, na tradução de DeRose, **Yôga sútra de Pátañjali**. As duas definições referem-se ao estado de hiperconsciência ou megalucidez que constitui o samádhi.

A PRÁTICA BALANCEADA

Dispostos a começar uma prática de técnicas orgânicas, perguntamo-nos: de que forma são escolhidas essas técnicas? Há algum critério específico ou poderíamos, por exemplo, sortear aleatoriamente alguns exercícios e simplesmente realizá-los? Bem, é claro que a estrutura da prática de ásanas atende a alguns cuidados para que seja balanceada e trabalhe o corpo de forma que, ao longo dos anos de vivência, apenas tenhamos consequências positivas[16].

Para obter esse balanceamento das técnicas, na nossa Escola, utilizamos dois critérios aplicados de forma cruzada:

O primeiro critério leva em consideração o equilíbrio vertebral e a movimentação espinal. O segundo leva em consideração a força de atração da Terra e sua influência na circulação sanguínea. Do ***Programa do Curso Básico****, de DeRose.

PRIMEIRO CRITÉRIO

Comecemos pelo primeiro critério: leva em consideração o equilíbrio vertebral e a movimentação espinal. Refere-se, é claro, ao trabalho que exercemos com as técnicas orgânicas sobre a coluna vertebral, eixo central do nosso corpo físico.

Visualize a sua coluna vertebral. Em seguida, imagine que ela realiza uma flexão para cada lado que seja possível – consulte o capítulo *Categorias de ásana* a seguir – e temos, assim, a **lateroflexão**, ou flexão lateral; a **anteflexão**, ou

---

16. *"...se a montagem da prática não obedecer à lei de compensação (...) As primeiras consequências manifestam-se sobre a área muscular e articular. Se o praticante seguir executando a série desbalanceada poderão surgir problemas de coluna. Depois, órgãos internos, circulação, sistema endócrino, etc. poderão ser afetados."* **Programa do Curso Básico**, de DeRose, na segunda aula de maio.

flexão para frente; compensada em seguida pela **retroflexão**, ou flexão para trás.

Visualize novamente a sua coluna na verticalidade e imagine que ela torce, girando uma vértebra sobre a outra, mas mantendo a verticalidade: isso é a **torção**.

Finalmente, há aquelas técnicas que trabalham a coluna no seu eixo, como muitas das técnicas de **equilíbrio**.

Segundo critério

Passemos logo ao segundo critério: ele se refere à influência da força de gravidade sobre a circulação sanguínea. Para que essa força exerça uma influência gradual e organizada, deveremos começar a prática com técnicas **em pé**, continuar pelos ásanas **sentados**, prosseguir pelas posições **deitadas** e, finalmente, passar às **invertidas**. Simples assim!

Se cruzarmos ambos os critérios obteremos o seguinte quadro de opções:

	em pé	sentado	deitado	invertido
equilíbrio				
lateroflexão				
torção				
anteflexão				
retroflexão				

Para que a prática esteja balanceada, deverá ter, ao menos, uma técnica de equilíbrio, uma lateroflexão, uma torção, uma anteflexão, uma retroflexão e uma invertida (as flexões, a torção e o equilíbrio podem estar numa outra ordem, a critério do praticante ou do instrutor). Combinando os critérios, a prática deverá, nesta ordem, começar em pé, continuar sentada, deitada e invertida.

Algumas recomendações gerais para ter em conta ao montar a sua prática:

• Para maior proteção da coluna, coloque a técnica de anteflexão antes da de retroflexão.

• De preferência, anteflexão e retroflexão estarão seguidas uma da outra, pois elas se compensam – consulte o capítulo *Regras gerais de execução, Compensação*.

• Numa prática com longa duração – em que não se faça apenas o mínimo de técnicas para balancear a sequência – deverá haver uma maior proporção de anteflexões do que de retroflexões (por exemplo 2 para 1, ou 3 para 1). O excesso de retroflexão pode, eventualmente, afetar a coluna.

• Quando fizer uma flexão para um lado, deverá compensá-la logo em seguida, assim como ao executar uma torção.

• Evite realizar sucessões de ásanas de distintas famílias sem a compensação imediata, pois isso pode comprometer a coluna (consulte o capítulo *Regras gerais de execução, Compensação*).[17]

• Havendo mais tempo, inclua também técnicas de outras categorias: musculares, tração, abertura pélvica, etc.

---

17. A exceção é a licença artística aplicada às coreografias. Para saber mais estude o livro *Coreografias do SwáSthya Yôga*, de Anahí Flores.

úrdhwa páda vakrásana • shilímukha mudrá

CATEGORIAS DE ÁSANA

Uma das formas que temos de organizar as técnicas orgânicas é por categorias. Estas se referem, de forma genérica, à área predominante de atuação das posições[18]. Encontramos essas categorias na SISTEMATIZAÇÃO UNIVERSAL DE ÁSANAS, no **Tratado de Yôga**, do Sistematizador DeRose, onde se apresentam mais de 2.000 técnicas organizadas em 47 categorias distintas.

Vamos aprofundar-nos aqui nas principais categorias a fim de compreender melhor o ásana e suas variações, obtendo assim um maior aproveitamento da prática em geral.

Comecemos dando uma olhada no leque de opções de categorias, das mais importantes para as menos importantes. Como já estudamos no capítulo anterior, sobre o balanceamento da prática, existem alguns tipos de categorias fundamentais que devem estar presentes na prática diária. Por sua vez, essas técnicas podem ser realizadas em pé, sentadas, deitadas ou invertidas, dando, assim, as seguintes opções:

equilíbrio	em pé
lateroflexão	sentado
torção	deitado
anteflexão	invertido
retroflexão	

---

18. Por sua vez, dentro das categorias temos as famílias de ásanas. Consulte o livro *Técnicas corporais do Yôga Antigo*, desta autora.

Temos ainda outros tipos de exercícios cuja inclusão na prática diária é interessante; também com as opções em pé, sentado, deitado ou invertido:

tração	em pé
muscular	sentado
abertura pélvica	deitado
abdominal	invertido

Na prática completa, o ásana é também utilizado associado às outras técnicas. É o caso dos:

dhyánásana	I	sentado
shavásana	I	deitado

Finalmente, mencionamos aqui outras categorias menos importantes, porém, que ampliam ainda mais a atuação do ásana:

- semirelaxamento
- trabalho articular
- alongamento dos pés
- posições agachadas
- balanços sobre as costas
- flexionamento dos joelhos
- alongamento para braços e ombros
- alongamento anterior das coxas
- faciais e laríngeos
- flexionamentos coxo-femurais

As técnicas nem sempre se encaixam
em *apenas uma* categoria

Cada ásana tem uma área de atuação predominante, que define, assim, a sua categoria. Podemos visualizar facilmente as técnicas que são em pé, sentadas e deitadas; porém, encaixá-las em uma categoria só, às vezes, não é tão simples ou absoluto e, eventualmente, acontece que uma técnica abarque mais de uma área.

Equilíbrio e retroflexão nos natarájásanas.

rája natarájásana

uttána natarájásana

Equilíbrio e alongamento dos pés no angushthásana ou váyútkásana.

rája váyútkásana

dwapáda angushthásana

Alongamento dos pés e retroflexão no banchêásana.

rája banchêásana

Anteflexão e muscular em úrdhwa paschimôttánásana.

úrdhwa paschimôttánásana

Sendo assim, precisamos estar atentos à atuação das técnicas para balancearmos apropriadamente a prática. Lembra do quadro de balanceamento da sequência de ásanas? Volte umas páginas ao capítulo anterior e dê uma olhada.

Imaginemos que decidimos escolher o natarájásana como técnica de equilíbrio da prática. Bem, não poderá ser ignorada a sua atuação também como retroflexão, que precisa ser compensada na sequência com uma anteflexão. E como este, poderíamos mencionar uma infinidade de exemplos!

A fim de auxiliar na compreensão dos ásanas neste sentido, a seguir iremos nos aprofundar em cada uma das categorias, desmembrando-as para conhecer essa atuação às vezes simultânea e garantir, assim, a montagem de uma prática sempre balanceada.

Categorias de ásana
Lateroflexões

Distintos tipos e intensidades

Entremos no mundo das flexões laterais; elas não atuam todas da mesma forma sobre o nosso corpo. Encontramos lateroflexões em pé, sentadas, deitadas, invertidas; algumas visando mais descontração e alongamento das laterais, outras com um trabalho mais intenso de extensão e fortalecimento dessa musculatura. Daí a importância de aproveitarmos a nossa ampla sistematização de técnicas e usufruirmos da variedade![19]

Tomemos inicialmente dois exemplos nos quais podemos claramente perceber a diferença entre extensão, tração, força e descontração:

rája chandrásana

rája nitambásana

No chandrásana, descontraia mais o torço e o pescoço; alongue a musculatura.

No nitambásana, faça uma permanência mais ativa, fortalecendo as laterais e tracionando as costas.

Duas famílias bem próximas e que podem, inclusive, complementar-se como fases de uma mesma permanência.

19. Para estudar a sistematização completa, remeta-se ao livro *Tratado de Yôga*.

Um exemplo similar, agora com os dois da mesma família:

ardha parighásana

Observamos um padrão entre estas técnicas: todas elas atuam *a favor* da força de gravidade. Isto é: descontraia o corpo, respire profundamente e a tendência será a de avançar gradativamente na técnica.

Encontramos também outros tipos de flexões laterais que atuam *contra* a força de gravidade. A flexão propriamente dita não será tão intensa, mas não a subestime! Será uma permanência ativa e de fortalecimento pleno da musculatura trabalhada. Observe o exemplo:

parshwa mêrudandásana
muscular, equilíbrio e lateroflexão

Assim, começamos com exemplos de técnicas que combinam mais de uma categoria. Indicaremos as categorias abaixo do nome do ásana, em negrito e por ordem de importância, porém, observe que isto não é uma regra absoluta: um praticante com bastante força e pouca flexibilidade e outro muito flexível, mas com pouca força muscular, poderão vivenciar de forma quase que oposta a mesma técnica!

chandra sírshásana
invertida e lateroflexão

Outra opção de flexão lateral, para aqueles que têm suficiente estabilidade no rája sírshásana (invertida sobre a cabeça) é o chandra sírshásana. Execute primeiramente a variação rája, estenda-se plenamente na vertical, confira a base estável entre topo da cabeça e cotovelos, junte os pés estendidos e comece a descer as pernas lateralmente. Atenção para que o movimento seja realmente lateral! Perceba qual a musculatura trabalhada e, aos poucos, chegue ao seu máximo.

E, finalmente, algumas lateroflexões combinadas com trabalho de equilíbrio e, portanto, de concentração, seja porque um dos pés está fora do chão (parshwa natasíra pakshásana); ou porque os dois pés estão estendidos, permanecendo, assim, na ponta dos dedos (utthita nitambásana).

parshwa natasíra pakshásana
equilíbrio e lateroflexão

utthita nitambásana
lateroflexão e equilíbrio

Em qualquer um dos casos, observe um ponto fixo à sua frente, à altura dos olhos, como referência e forma de concentração. A variação supta, de olhos fechados, é sugerida para os mais avançados.

Erros mais comuns nas lateroflexões

Eventualmente, nos deparamos com uma espécie de erro de interpretação: posições interpretadas como de flexão lateral, mas que não o são. Tratam-se de técnicas que têm uma intensa atuação sobre essa musculatura lateral e, por isso, o praticante novo pode enganar-se e confundir a sua categoria. Mas e a atuação sobre a coluna vertebral? Vamos aos exemplos e, para conferir esse engano, observe especificamente a posição da coluna durante a permanência no ásana:

rája báhupádásana
muscular

Visto por outro ângulo, para observar mais claramente a linha da coluna.

É inegável o intenso trabalho do báhupádásana sobre a musculatura lateral do torso, mas confirmamos através das fotos que não se trata de uma latero<u>flexão</u>.

rája báhupádásana em ângulo
incorreto para demonstração

O mesmo acontece no caso de alguns jánutrikônásanas:

rája jánutrikônásana

rája jánutrikônásana

Novamente, observe a linha da coluna vertebral para conferir que não existe flexão. Com o tempo de prática e a vivência, desenvolvemos a capacidade de perceber isso no nosso próprio corpo sem necessidade de olhar para a foto ou para o espelho!

Este é o caso também do vipariíta parighásana, variação que tanto pode ser feita com mais extensão e trabalho da musculatura lateral, quanto gerando sim flexão, descendo quase até o piso:

Nesta forma, a atuação é muscular, e não de lateroflexão.

vipariíta parighásana
muscular

Nesta variação a lateroflexão é trabalhada.

vipariíta parighásana
lateroflexão

Observe então, na sua prática diária, se está utilizando diferentes tipos de intensidade de lateroflexão. Caso disponha de menos tempo, dê preferência às técnicas que flexionam mais a coluna. Numa prática com bastante tempo, aproveite para explorar distintos tipos e níveis de flexão, a fim de trabalhar de forma bem completa a musculatura e desenvolver mais a consciência corporal.

CATEGORIAS DE ÁSANA

POSIÇÕES DE EQUILÍBRIO

Como comentamos anteriormente, dentro do grupo de técnicas que trabalham a estabilidade, encontramos algumas que mantêm o eixo central da coluna na verticalidade – portanto mais neutras – e outras que acrescentam, por exemplo, uma flexão. Estas últimas, em geral, tornam-se mais difíceis, por adicionarem outro desafio.

Sem dúvida, todas elas trabalham a concentração. Ainda, existe a variação **supta** (de olhos fechados) para qualquer posição de equilíbrio, e se acrescenta mais uma dificuldade.

Assim, com técnicas desta categoria, conseguiríamos montar toda uma prática balanceada com ênfase em equilíbrio[20]!

Vejamos os exemplos a seguir, começando por alguns ásanas que mantêm o **eixo central na verticalidade**[21]:

---

20. Pelo termo *equilíbrio* referimo-nos, nesta obra, à primeira acepção do dicionário Houaiss da língua portuguesa: "posição estável de um corpo, sem oscilações ou desvios". Guiamo-nos, assim, pelos conceitos que fundamentam a nossa linhagem Niríshwarasámkhya, isto é, naturalista, sem misticismo nem pretensões terapêuticas. Outras acepções relativas ao emocional ou espiritual não são relevantes na nossa Escola.

21. Nas aulas das provas de avaliação e revalidação de instrutores, que acontecem em cada Federação de Yôga, deve-se colocar este tipo de técnica de equilíbrio, mais neutra, a fim de não afetar o balanceamento da prática.

48 — INTELIGÊNCIA CORPORAL

Esta é a posição mais básica de equilíbrio: mantenha simplesmente os pés juntos e o corpo na verticalidade. Aproveite para explorar a variação supta e, ao fechar os olhos, com respiração profunda, perceba a oscilação sutil do corpo e busque a máxima estabilidade.

rája pádásana

Deixe sempre um pé na frente do outro, ambos na mesma linha – inclusive os calcanhares!

rája prathanásana

No trishúlásana, apenas a ponta dos dedos do pé toca o tornozelo. Mantenha o contato sutil e nunca apoie a planta do pé na perna.

Para ter mais estabilidade nas técnicas de equilíbrio com apenas um pé no chão, coloque-o em concha, levemente arqueado e afaste os dedos do pé, gerando um apoio mais amplo e firme.

rája trishúlásana

Mantenha os quadris encaixados, a coluna estendida e as costas descontraídas.

Um bom treinamento para conseguir essa flexibilidade nos quadris é a família dos gôkarnásanas – estude-a mais à frente, no capítulo sobre abertura pélvica.

rája pakshásana

Empurre o joelho flexionado para trás, e assim o pé não escorrega; quanto mais próximos estiverem os joelhos, mais correta estará a posição. Os quadris devem ficar encaixados.

ardha vrikshásana

Alguns erros frequentes consistem em: inclinar o corpo para trás, elevar o quadril do lado da perna flexionada, deixar o pé de base oblíquo (virado para o lado).

Mantenha a coluna ereta e os ombros descontraídos.

ardha jánúrdhwa sírshásana

50 — INTELIGÊNCIA CORPORAL

Algumas posições que combinam **equilíbrio e anteflexão**:

Na família dos vrikshásanas, nas variações em que o torso desce, mantenha o joelho da perna de base estendido e evite apoiar as mãos afastadas no chão, a fim de manter a característica de trabalho do equilíbrio; mantenha as mãos juntas (rája) ou segurando a perna de base (mahá).

rája vrikshásana
equilíbrio e anteflexão

Lembre-se de não iniciar a permanência por variações mahá (mais avançadas). Respeite o limite do seu corpo começando sempre por variações mais simples – consulte o capítulo Fases passiva e ativa.

mahá prasárana êkapádásana
equilíbrio e anteflexão

Nesta variação de pádaprasáranásana, mantenha a perna estendida paralela ao chão. Descontraia as costas, estimulando, assim, a anteflexão.

natasíra úrdhwa
pádaprasáranásana
equilíbrio e anteflexão

Procure repartir o peso do corpo em ambas as pernas, com os joelhos sempre estendidos.

pádahasta prathanásana
equilíbrio e anteflexão

Exemplifiquemos agora técnicas que unem **equilíbrio e retroflexão**:

uttána úrdhwa dhanurásana
equilíbrio e retroflexão

Na família dos natarájásanas mantenha os quadris encaixados e a pélvis de frente para o chão, a fim de exercer um trabalho harmônico sobre a coluna.

mahá natarájásana
equilíbrio e retroflexão

êkapáda ardha chakrásana
equilíbrio e retroflexão

O ponto fixo à frente dos olhos, que sempre favorece a concentração nas técnicas de equilíbrio, estará agora na parede às suas costas! Para realizar esta posição, primeiro olhe para frente; vá inclinando o torso para trás e olhe para o teto; finalmente, complete a retroflexão e olhe para trás.

Algumas técnicas de **equilíbrio e torção**:

vakra jánúrdhwásana
equilíbrio e torção

Mantenha a coluna ereta e ambos os ombros à mesma altura.

vakra úrdhwa pádaprasáranásana
equilíbrio e torção

Exemplos de técnicas que combinam **equilíbrio e lateroflexão**:

parshwa vrikshásana
equilíbrio e lateroflexão

parshwa natasíra pakshásana
equilíbrio e lateroflexão

Lembremo-nos também de que todas as posições de equilíbrio em pé têm a sua variação em **utthita**, com o calcanhar elevado e o apoio nos dedos do pé; não deixe de treiná-las. Um desafio ainda maior será executar as técnicas de equilíbrio na ponta do pé (**utthita**) e de olhos fechados (**supta**)!

Finalmente, e completando, assim, uma estrutura de prática balanceada, temos a posição **invertida**:

Veja mais à frente, no capítulo *Invertidas*, as variações de kapálásanas.

utthita kapálásana
invertida e equilíbrio

Encontramos também algumas variações de famílias que, a princípio, não seriam de equilíbrio, mas por suas características requerem uma concentração a mais para permanecermos nelas. Vejamos alguns exemplos a seguir:

úrdhwa paschimôttánásana
anteflexão e equilíbrio

utthita chandrásana
lateroflexão e equilíbrio

Temos, assim, o fator equilíbrio combinado com outras categorias. Por exemplo, o praticante poderá explorar uma permanência mais longa numa determinada família e vivenciar distintas variações, entre elas, alguma que trabalhe mais este aspecto.

Se a técnica de equilíbrio que você escolheu para treinar possui uma flexão ou torção, observe sempre a sua compensação. Assim, manterá a sua prática balanceada e um trabalho uniforme sobre a sua coluna – leia o capítulo *Regras gerais de execução, Compensação* mais à frente.

CATEGORIAS DE ÁSANA

TORÇÕES

Todas elas têm em comum o fato de manter a coluna plenamente estendida, gerando, assim, a rotação de uma vértebra sobre a outra. Isso proporciona, entre outras coisas, um aumento considerável da flexibilidade da coluna, assim como alongamento e força da musculatura que a sustenta.

No mundo das torções de coluna, temos também exemplos de distintas formas de atuação, que trabalham mais sobre a coluna ou sobre a musculatura, fortalecem ou estimulam a descontração, etc.

Vejamos primeiramente algumas torções que, através de alavanca ou auxílio das mãos e braços, intensificam o giro e favorecem, assim, a descontração da musculatura:

rája matsyêndrásana

No matsyêndrásana, evite apoiar todo o peso do corpo sobre a mão que está no chão. Mesmo com as costas descontraídas, devemos manter a consciência e a tonicidade suficientes para estender a coluna por força das próprias costas.
Evite sentar-se sobre o calcanhar a fim de que os quadris fiquem alinhados e a coluna mantenha-se ereta (existe uma variação – utthita – na qual o apoio se dá sobre o pé, mas, mesmo nesse caso, os quadris devem manter-se alinhados e a coluna ereta).

No vakrásana, coloque uma atenção especial em manter a verticalidade do torso; no início, pode acontecer que a tendência seja a de inclinar o corpo para frente, ou para trás caso se apoie demais na mão que fica no chão.

rája vakrásana

Outras torções baseiam seu trabalho apenas na força das costas, criando uma estrutura formidável nessa musculatura:

> Nesta variação de vakrásana, mantenha os ombros descontraídos, mesmo elevando os braços e estendendo as costas.

rája vakrásana
torção e abertura pélvica

> Mantenha a verticalidade – atenção para as pernas não descerem de lado.

vakra sírshásana
invertida e torção

Temos ainda o páda vakrásana, como ponto intermediário: a mão no pé ajuda a girar, porém a consciência para estender as costas não pode dispersar-se:

páda vakrásana

> Segure o calcanhar por fora; estenda o joelho e o pé para manter a estética da posição. Evite cruzar a perna elevada por sobre a outra.

Já comentamos anteriormente sobre as torções que acrescentam o trabalho de equilíbrio, mas vamos exemplificar com uma variação mais avançada:

> Lembrando que a torção somente estará completa ao girar-se também a cabeça.

baddha vakra jánúrdhwásana
equilíbrio e torção

Finalmente, encontramos o chalanásana, a única família de torção deitada. Essa particularidade transforma por completo o trabalho de torção que é auxiliado pela própria força de gravidade.

êkapáda parshwa chalanásana

> Mantenha os ombros no chão, os quadris giram e a cabeça também, no sentido contrário; mesmo deitado, observe que a coluna forma uma linha reta.

Continuando o nosso passeio pelas torções de coluna, vejamos ainda alguns casos de torção combinada com outra categoria, resultando, assim, numa atuação menos profunda, mas sempre interessante:

vakra trikônásana
torção e anteflexão

Combina a **torção com uma leve anteflexão** – ainda que a intenção não seja levar a testa aos joelhos e completar a anteflexão vivenciamos um trabalho de extensão posterior, especialmente das pernas. Coloque a consciência em manter os quadris simétricos e estender bem a coluna, com a cabeça no seu prolongamento.

Temos a mesma combinação da foto anterior, agora com os pés juntos. Mantenha a cabeça no prolongamento da coluna.

vakra pádahastásana
torção e anteflexão

utthita êkapáda parshwa kákásana
muscular e torção

No caso dos parshwa kákásanas, consiga um bom encaixe da perna sobre o braço contrário e estenda bem a coluna para torcer melhor.

vakra sírahasta mêrudandásana
muscular e torção

A torção gerada neste ásana é bem leve, a atuação concentra-se no fortalecimento da musculatura lateral e abdominal.

Nas técnicas de torção, muitas vezes há a tendência de inclinar a cabeça para frente, aproximando o queixo do ombro, ou de levar a cabeça para trás, comprimindo levemente a região da nuca. Observe que a coluna vertebral está estendida da base até a região cervical. Para desenvolver essa consciência, o praticante poderá, no início, observar-se no espelho até que a posição correta esteja internalizada.

Este tipo de técnicas desenvolve também a flexibilidade na musculatura que sustenta o eixo central do corpo. Essa estrutura – com mais força e flexibilidade – torna-se indispensável à medida que o praticante evolui na prática e dedica-se a técnicas mais sutis e profundas.

parshwa upavishta kônásana • bhrámára mudrá

Categorias de ásana
Anteflexões

Dando continuidade ao balanceamento da prática, chegamos às anteflexões, categoria mais do que importante e variada. Encontramos aqui flexões sobre as duas pernas, e sobre uma só, gerando extensões bem diferentes sobre a parte posterior do corpo; anteflexões realizadas a favor da força de gravidade, ou então por exclusiva força da musculatura; outras ainda que acrescentam equilíbrio; etc.

Comecemos pelas anteflexões realizadas sobre ambas as pernas por igual, que são as mais importantes; como exemplos, temos as famílias de paschimôttánásanas e pádahastásanas.

rája pádahastásana

rája paschimôttánásana

Encontramos outras anteflexões realizadas sobre uma perna só, com um encaixe diferente dos quadris que resulta num trabalho levemente lateral na musculatura. Estas posições requerem compensação e, mesmo assim, não chegam a gerar o mesmo nível de extensão que as primeiras, sobre ambas as pernas.

Estude no **Tratado de Yôga**, as diversas variações na posição da perna flexionada nos jánusírshásanas.

mahá jánusírshásana

rája jánusírsha upavishta kônásana

ardha trikônásana

Outro tipo de anteflexão é a que se realiza utilizando a força do abdome e dos braços para aproximar a testa dos joelhos. Mas atenção: para quem não tem bom alongamento este tipo de posição também não contribuirá muito para ganhá-lo! O esforço muscular prevalecerá.

úrdhwa paschimôttánásana
anteflexão e abdominal

rája dwapáda stambhásana
anteflexão e abdominal

rája êkapáda stambhásana
anteflexão e abdominal

E ainda há a anteflexão combinada com o treinamento de equilíbrio:

úrdhwa paschimôttánásana
anteflexão e equilíbrio

rája natasíra pakshásana
equilíbrio e anteflexão

Até aqui, os exemplos foram de flexão sobre uma ou duas pernas estendidas. Consideremos agora três famílias aparentemente similares, mas substancialmente diferentes: yôgásana, kúrmásana e hamsásana (todas com variações padma, vajra, víra, etc).

vajra yôgásana

O yôgásana é uma técnica dos chamados kundalinyásanas; ao permanecer nele, em geral, associamos bandhas, pránáyámas com ritmo e mentalizações; o objetivo é estimular a energia kundaliní, adormecida na base da coluna.

O kúrmásana constitui uma posição de descanso, em geral após musculares ou retroflexões mais exigentes.

vajra kúrmásana

vajra hamsásana

A família dos hamsásanas existe na função de passagem para o bhujangásana. É apenas um momento de preparação para a transição. Observe a passagem correta com o movimento de encaixe dos quadris:

rajas hamsabhujangásana

Finalmente, temos uma família a princípio categorizada como abertura pélvica; porém, quando feita numa variação iniciante por alguém com menos flexibilidade, tem também atuação de anteflexão.

Vejamos, para isso, duas variações de upavishta kônásana:

ardha upavishta kônásana
anteflexão e abertura pélvica

Observe a flexão das costas no caso do ardha upavishta kônásana – ou seja, incompleto. Neste caso, ele pode também ser considerado ásana de anteflexão.

rája upavishta kônásana
abertura pélvica

No rája upavishta kônásana, a variação completa desta família, o torso desce com a coluna estendida; quando o praticante tem mais flexibilidade, este ásana **não** é de anteflexão (observe a posição da coluna, reta, nesta foto).

Esta categoria de técnicas deverá estar presente na prática diária, inclusive numa proporção levemente maior que as outras. Trata-se do movimento mais espontâneo que nosso corpo realiza – ao recolher um objeto caído, ao vestir-se, ao acariciar uma mascote, ao coçar o joelho!

Mesmo assim, nunca se esqueça da devida compensação – aprenda sobre retroflexões no próximo capítulo.

Categorias de ásana
Retroflexões

Na sequência das anteflexões, e também para compensá-las, vamos estudar agora algumas retroflexões e suas diferentes formas de atuação.

Como já comentamos previamente, a flexão para trás deve ser realizada com redobrada consciência e cuidado, a fim de preservar a região lombar e a coluna em geral. Porém, mesmo assim, há alguns tipos de flexões que forçam mais, nas quais um praticante menos experiente (ou que não siga as indicações do seu instrutor) poderia afetar a coluna; e outras nas quais não há possibilidade de erro para os iniciantes.

No primeiro tipo, das famílias que requerem mais atenção, encontramos aquelas retroflexões realizadas com alavanca: a mão segura o tornozelo ou pé e, ao estender a perna, a coluna se arqueia – tal é o caso dos natarájásanas, dhanurásanas, úrdhwa dhanurásanas entre outros.

uttána dhanurásana

Um efeito similar acontece nos chakrásanas e bhujangásanas, agora com o apoio no piso, mas dando-nos a mesma necessidade de atenção redobrada na cintura. Ainda neste primeiro grupo, temos as retroflexões em que o torso é levado para trás, e dependemos da consciência plena nas costas para segurar e realizar a retroflexão sem afetar, especialmente, a região lombar – caso dos ardha chakrásanas, natasíra vajrásanas, prishthásanas e prishthakônásanas.

Passemos ao segundo grupo: retroflexões realizadas por pura força das costas; este tipo de técnicas cria uma estrutura formidável nessa musculatura tão importante para proteger o centro do seu corpo. Encontramos aqui os ardha dhanurásanas, ardha natarájásanas, dôlásanas, makarásanas, shalabhásanas, sarpásanas, entre outros. Vejamos alguns exemplos a seguir.

Na família dos natarájásanas em geral temos esta forma de realizar a retroflexão: a mão segura o pé ou tornozelo, dependendo da variação, a perna faz força para estender-se e a coluna arqueia-se.

Um erro bastante comum é elevar o quadril do lado da perna elevada; isso altera a forma da retroflexão, deixando a coluna torta. Mantenha sempre a pélvis de frente ao chão, contraindo, para isso, levemente a musculatura dos glúteos.

Outro erro bem comum é realizar o natarájásana, especialmente a variação rája, inclinando o torso para frente, deixando-o quase paralelo ao chão. Neste caso, o praticante fica com a falsa impressão de estar realizando uma variação avançada quando, na verdade, olhando a posição da sua coluna, a retroflexão é mínima. Mantenha a coluna ereta; será a perna que deverá elevar-se para produzir a retroflexão (como referência procure elevar o joelho flexionado até a altura dos quadris, no mínimo).

uttána natarájásana
equilíbrio e retroflexão

úrdhwa dhanurásana
equilíbrio e retroflexão

Observe a progressão dos prefixos nos nomes das retroflexões; eles seguem um padrão para designar as diversas variações. Quando a variação rája segura o tornozelo – caso dos natarájásanas, úrdhwa dhanurásanas, dhanurásanas – a variação úrdhwa ou uttána eleva mais os braços (os ombros giram, dando mais extensão) e estende mais as pernas para cima, incrementando a flexão.

Na variação ardha, incompleta, a mão não segura o pé e as pernas permanecem estendidas, fortalecendo, assim, muito mais a musculatura das costas.

Em quase todas as retroflexões, a variação mahá toca o pé na cabeça, seja com auxílio das mãos ou não.

Na família dos chakrásanas, mantenha os pés paralelos. Deixe os braços estendidos, fortalecendo consideravelmente os ombros, e trabalhe para, aos poucos, aproximar os pés das mãos (mahá) ou então estender também as pernas (uttána).

rája chakrásana

Para fazer o chakrásana, suba inicialmente desde o chão: deitado, traga os calcanhares de forma que fiquem próximos aos glúteos, leve as mãos embaixo dos ombros, e com inspiração estenda cotovelos e joelhos arqueando a coluna. Ou treine a variação mais avançada:

Em pé, estenda-se, contraia fortemente os glúteos e com exalação desça, inclinando o corpo para trás e arqueando a coluna. As mãos deverão tocar suavemente o chão, com um movimento consciente. Mesmo assim, recomendamos que o instrutor permaneça ao lado na primeira vez que o aluno realizar esta variação.

supta chakrásana (movimento para baixo) e úrdhwa chakrásana (movimento para cima)

Essa mesma passagem no sentido inverso resulta em uma boa forma para ficar em pé. Uma vez no chakrásana, traga a consciência às costas, o peso aos pés e procure tirar as mãos do chão e elevar o corpo. Mantenha os olhos abertos para não perder a estabilidade. Se o movimento for muito rápido, pode dar tontura.

Observe a execução correta do bhujangásana a partir do hamsásana no capítulo *Anteflexões*. Outra forma de fazer este ásana é a partir do udara shavásana, elevando o tronco do chão por força das costas (primeiro) e dos braços (depois).

rája bhujangásana

ardha chakrásana

Na variação ardha do chakrásana, assim como no prishthásana e no prishthakônásana, deixe os joelhos completamente estendidos. Este tipo de posição requer ainda mais consciência na região das costas: contraia os glúteos e projete força e consciência para as suas costas, que sustentam agora a coluna. Nunca *jogue*, simplesmente, o peso do corpo para trás! Coordene essa flexão com a exalação.

A família dos shalabhásanas é uma poderosa fortalecedora das costas. Para conquistar a variação mahá é preciso subir com as pernas estendidas, juntas e sem impulso. Permaneça em variações mais iniciantes, com as pernas mais próximas do chão, pelo tempo que for preciso para desenvolver essa força. Nesta variação mahá, vivencia-se certo efeito de ásana invertido – veja mais à frente o capítulo sobre as invertidas. Sendo assim, ao retornar, descanse uns segundos antes de ficar em pé.

mahá shalabhásana

Observe os ushtrásanas e natasíra vajrásanas, aparentemente similares, porém substancialmente diferentes: o primeiro tem as mãos nos pés, dando, assim, um apoio e levando, portanto, menos força às costas. O segundo tem a sustentação na musculatura das costas, resultando num fortalecimento mais intenso dessa região.

rája ushtrásana

rája natasíra vajrásana

Realize os ushtrásanas com inspiração, partindo do vajrásana, sentado sobre os calcanhares, inspire elevando os quadris e arqueando a coluna. Mantenha as mãos nos calcanhares tanto para fazer o ásana quanto para o retorno.

Faça o natasíra vajrásana com exalação: com os glúteos contraídos desça, progressivamente mais, até conquistar a variação mahá, com o topo da cabeça nos pés.

dwahasta rája prishthásana

dwahasta rája prishthakônásana

Nas famílias de prishthásanas e prishthakônásanas, mantenha os joelhos impecavelmente estendidos. Para conquistar a variação rája, completa, as mãos deverão chegar aos tornozelos.

udara shavásana

Inicie as retroflexões em decúbito frontal deitado em udara shavásana, descontraindo e conscientizando a musculatura das costas. Só então, com inspiração, arqueie a coluna.

rája dôlásana

ardha dhanurásana

rája makarásana

mahá sarpásana

Não tenha pressa para conseguir as variações mais adiantadas das famílias de ásana. A prática desta filosofia ancestral será desenvolvida ao longo dos anos. Passados os primeiros três, quatro, cinco anos de prática, você ainda continuará surpreendendo-se ao conquistar novas técnicas e expandir os seus limites.

Portanto, não force, modere a permanência e respeite a nossa regra geral de segurança – consulte o capítulo com esse título mais à frente.

Categorias de ásana
Invertidas

Geralmente, no final da prática balanceada de ásanas, deparamo-nos com as invertidas. Trata-se de um grupo bem diverso de técnicas, sendo algumas sobre a cabeça (sírshásanas, kapálásanas) outras sobre os antebraços (vrishkásanas) sobre as mãos (dwahasta vrishkásanas) e ainda sobre os ombros (sarvángásanas, viparíta karanyásanas e halásanas).

Mas todas elas têm em comum o efeito de maior concentração de sangue sobre a parte alta do corpo, onde se encontram os órgãos internos, e especialmente na cabeça, pois, ao inverter a posição do corpo, favorece-se o retorno sanguíneo. Deste modo, proporciona um descanso renovador aos pés e pernas, que normalmente sustentam, o dia inteiro, o peso do corpo.

Das opções mencionadas previamente, vamos destacar a primeira e principal família desta categoria: o sírshásana. Por ter o corpo plenamente estendido na verticalidade, esta técnica não precisa de compensação. Dessa forma, o praticante poderá ampliar gradativamente a permanência – em geral, o tempo de permanência recomendado para os praticantes mais novos é de três a cinco minutos; ja àqueles com alguns anos de prática, até dez ou quinze minutos; e aos instrutores com mais experiência, de vinte minutos a meia hora.

Cria-se uma excelente estrutura nas costas e pescoço, ou seja, a musculatura de sustentação da coluna – estrutura indispensável para dedicarmo-nos a técnicas mais avançadas que trabalhem o despertamento da kundaliní.

Por isso também, **jamais realize a invertida encostado contra a parede, ou com outra ajuda externa**:

rája sírshásana

o praticante apenas conseguirá permanecer quando o corpo estiver realmente preparado e puder sustentar-se sozinho. Este procedimento protegerá o corpo contra qualquer excesso, já que enquanto não houver a estrutura necessária, simplesmente cairá da invertida – preferentemente para trás fazendo uma cambalhota, sem bater no chão, mas rolando.

Na variação com as mãos enlaçadas por trás da cabeça, a permanência torna-se extremamente confortável e, uma vez na posição, pode-se descontrair plenamente a musculatura, mantendo apenas a tensão mínima para sustentar o ásana.

Não havendo tempo para uma prática completa, dedique ao menos uns minutos do seu dia a realizar esta invertida.

Já estável e confortável no sírshásana, treine para mudar a posição das pernas, trabalhando eventualmente todos os tipos de flexão e até abertura pélvica ou muscular!

Ao executar as flexões e a torção pode-se montar uma prática completa, balanceada. Recomendamos, para isso, a variação de sírshásana com as pernas cruzadas em padmásana, por dar mais estabilidade e mais consciência do movimento do corpo, além de ser uma técnica mais avançada.

parshwa padma sírshásana
invertida e flexão lateral

vakra padma sírshásana
invertida e torção

Lembre-se de compensar as lateroflexões e torções com exercícios idênticos para o outro lado. Consulte o capítulo *Regras gerais de execução, Compensação*.

ardha padma sírshásana
invertida e anteflexão

uttána padma sírshásana
invertida e retroflexão

Assim, eventualmente, dedique o tempo da prática destinado aos ásanas a permanecer mais na invertida. Primeiramente com as pernas estendidas; depois de aproximadamente um minuto, aí sim, faça o padmásana e logo a prática balanceada, com todas as variações.

Depois faça também as variações que trabalham abertura pélvica e força:

prasárana sírshásana
invertida e abertura pélvica

prasárana sírshásana
invertida e abertura pélvica

Permaneça confortável deixando que o próprio peso das suas pernas estimule a avançar mais no ásana e ganhar abertura pélvica.

Para executar o úrdhwa sírshásana, estando na variação rája, solte as mãos, apoie-as no solo, estenda bem o corpo na verticalidade realizando uma leve tração nas costas, consciência nos ombros e... afaste a cabeça do chão. Permaneça com o pescoço descontraído, sem arquear a cervical – o topo da cabeça está apontando para o piso. A permanência nesta variação fortalece especialmente os ombros. A posição das pernas pode variar, dependendo da sua escolha.

úrdhwa sírshásana
invertida e muscular

ANTES E DEPOIS DO SÍRSHÁSANA

O preparatório para executar a invertida sobre a cabeça é o grivásana. Permanecendo ainda com os pés no chão, estamos fortalecendo o pescoço, as costas, ganhando flexibilidade para conseguirmos posicionar a coluna perpendicularmente ao solo e, ainda, acostumando a cabeça a sustentar o peso do restante do corpo.

O objetivo é que possamos tirar os pés do chão sem nenhum impulso, quase que espontaneamente. Para isso, permaneça o tempo que precisar no grivásana, treinando inclusive as outras variações (com as mãos nos tornozelos, por trás da cintura, etc); não tenha pressa e respeite as indicações do seu instrutor. Quando estiver pronto, tire primeiro um pé do chão e, só depois, o outro.

Para aprimorar o grivásana, treine o uttána chatuspádásana – consulte no capítulo *Categorias de ásana, Musculares*. Ele prepara as pernas e posiciona melhor as costas, estendidas.

rája grivásana   êkapáda grivásana   ardha sírshásana

Quando já conseguir subir dessa forma, treine outras mais sofisticadas: eleve as pernas unidas e estendidas, levando os quadris levemente para trás. Jamais dê impulso, pois, nesse caso, a tendência será a de cair para trás; os movimentos deverão ser sempre conscientes. Coordene com inspiração e eleve as pernas estendidas até a verticalidade.

rája grivásana   ardha sírshásana

O movimento de retorno será igual, porém na ordem inversa: desça as pernas juntas e estendidas até tocar as pontas dos pés no chão; um toque sutil, sem cair. Logo, flexione as pernas e sente-se em dháranásana, que é a posição de descanso após a invertida sobre a cabeça; a coluna estará bem estendida, paralela ao chão.

dháranásana

Numa das variações desta técnica as mãos entrelaçam-se, as pontas dos polegares pressionam suavemente o intercílio e estimulam essa região.

Mudando a posição das mãos, mas ainda sobre o topo da cabeça, temos agora a família dos kapálásanas. Ainda que mantenha a verticalidade do corpo, a diferença na posição dos braços e mãos muda completamente o ásana. Percebe-se isso ao permanecer uns minutos nesta técnica, pois, em seguida, sentimos os braços cansados e uma atuação forte sobre o pescoço, que chega a sobrecarregá-lo numa permanência mais longa.

rája kapálásana

Por ter as mãos apoiadas no chão à frente do corpo, o kapálásana é, às vezes, mais simples para o iniciante elevar as pernas até a verticalidade. Porém, em comparação com o sírshásana, o kapálásana é menos estável, o que dificulta a permanência mais longa, que é fundamental para exercer o trabalho da invertida. Sendo assim, privilegie realizar o sírshásana, com as mãos enlaçadas por trás da cabeça.

No kapálásana, podem executar-se as mesmas variações de posição das pernas, flexão, etc. que temos no sírshásana.

E ainda se acrescenta uma possibilidade: colocar as mãos nas pontas dos dedos (utthita), retirar uma das mãos (êkahasta) ou até as duas (nirahasta)!

> Para os praticantes que já conquistaram uma boa permanência em sírshásana (mínimo de dez minutos) e que contam com o acompanhamento de um instrutor: como desafio e treinamento da estabilidade na invertida comece a permanência no sírshásana, com as mãos enlaçadas por trás da cabeça; sem descer, passe ao kapálásana, apoie apenas as pontas dos dedos das mãos (utthita) e, ainda lá, experimente retirar uma das mãos (êkahasta), ou as duas (nirahasta)!

êkahasta utthita kapálásana

Melina Flores

Vejamos agora a família dos vrishkásanas, invertidas sobre os antebraços e sobre as mãos. Proporcionam um forte trabalho muscular, mesmo numa permanência curta, seja nas variações com as pernas elevadas e estendidas, ou flexionadas e com as pontas dos pés na cabeça.

A melhor forma de fazer a posição é partindo da variação sukha, ainda com um pé ou os dois no chão:

sukha vrishkásana   êkapáda ardha vrishkásana

Para conseguir esta passagem é necessário, além da força, um certo alongamento das pernas e das costas. Traga os pés bem próximos dos braços, elevando os quadris; eleve as pernas e equilibre-se levando a consciência às mãos e a força aos ombros.

sukha vrishkásana   ardha vrishkásana

Outra forma de se chegar ao vrishkásana é a partir do sírshásana, elevando-se a cabeça com o corpo sobre os antebraços:

É mais simples primeiro arquear levemente o corpo e, então sim, soltar as mãos e elevar a cabeça do chão.

rája sírshásana

ardha vrishkásana

O ardha vrishkásana pode ser executado sobre os antebraços e mãos, de forma mais tradicional, ou na sua variação com uma mão no chão e o cotovelo fora, preparatório para retirar essa mão também.

ardha vrishkásana

utthita ardha êkahasta vrishkásana

Melina Flores 81

A variação completa do vrishkásana toca as pontas dos pés na cabeça. Como em qualquer retroflexão, lembre-se de compensar! Veja o capítulo *Regras gerais de execução, Compensação.*

rája vrishkásana
invertida e retroflexão

Para subir nas variações sobre as mãos, da mesma forma que nos vrishkásanas sobre os antebraços, basta elevar uma perna estendida – sem impulso – e se equilibrar sobre os braços e as mãos. Ou então, com uma passagem mais avançada, elevar ambas as pernas juntas e estendidas.

preparatório

prasárana ardha dwahasta vrishkásana

êkapáda uttána ardha dwahasta vrishkásana

preparatório ardha dwahasta vrishkásana

Vejamos outra variação de dwahasta vrishkásana:

uttána ardha dwahasta vrishkásana
invertida e retroflexão

No uttána ardha dwahasta vrishkásana, leve as pernas estendidas ainda mais para trás; sustente o ásana com a força dos ombros e costas!

compensação do vrishkásana

Após os vrishkásanas realize a compensação: sentado, entrelace as mãos por trás da cabeça e descontraia os braços, deixando que o peso dos braços alongue a região cervical.

E, finalmente, nas invertidas sobre os ombros, temos três famílias de ásanas que se diferenciam pelo ângulo que o torso conforma com as pernas. Por levarem o peso do corpo para os ombros, estes ásanas podem sobrecarregar a região cervical. Sendo assim, para permanências mais longas dê preferência a realizar as invertidas sobre a cabeça. Estude as variações para a posição das pernas e dos braços no **Tratado de Yôga**.

Nos sarvángásanas, o corpo se estende mais, com um ângulo de mais de 90 graus. Conseguimos, assim, uma maior verticalidade e, por isso, no que se refere a ásana invertido, das três famílias sobre os ombros, esta é a mais apropriada.

rája sarvángásana

viparíta karanyásana

Nos viparíta karanyásanas, o torso e as pernas formam um ângulo de 90 graus. A variação com as mãos na cintura constitui a invertida que proporciona mais descanso.

Nos halásanas, o ângulo que formam as pernas e o torso é menor que 90 graus. Os pés tocam o chão por sobre a cabeça gerando, assim, uma forte extensão em toda a parte posterior do corpo, especialmente nas costas. Mantenha o peso do corpo nos ombros, preservando a região cervical.

rája halásana

ardha matsyásana — rája matsyásana

As invertidas sobre os ombros são compensadas com uma retroflexão. A mais apropriada e tradicional para esta compensação é o matsyásana, pois, ao descer das invertidas sobre ombros, o praticante já está deitado e pode assim encadear as técnicas. Além disso, esta família de retroflexões atua mais intensamente na região cervical que, justamente, foi mais solicitada nas invertidas sobre os ombros. Inspire projetando o torso para cima, arqueando a coluna até tocar o topo da cabeça no chão; o apoio não está nos cotovelos mas na força das costas.

Esta categoria é bem diversa nas formas de atuação. Os leigos e os alunos mais iniciantes que tenham alguma dificuldade ou limitação específica treinarão as invertidas sobre os ombros.

Os mais experientes e que aceitarem o desafio irão se aventurar nas invertidas sobre os antebraços e sobre as mãos.

Mas, para todos os níveis, a principal técnica desta categoria que otimiza o efeito desejado é a invertida sobre a cabeça. Se ainda não conquistou essa posição fundamental, dedique-se diariamente a treinar o seu preparatório.

Categorias de Ásana
Shavásanas
Posições deitadas para descontração

Shavásana é a família de técnicas orgânicas utilizadas para a descontração[22]. A posição deverá ser deitada e a mais confortável, a fim de permitir o total relaxamento do corpo. Dependendo da preferência individual, e inclusive do tempo de prática, essa posição poderá variar, logo, estudaremos aqui diversas opções de shavásanas e o momento mais adequado para utilizá-los.

uttara shavásana

Esta é a principal variação da família e a mais indicada para os iniciantes. Realize-a com preferência até criar o condicionamento no corpo de que ao se deitar nesta posição deve descontrair-se.
Mãos e pés afastam-se levemente, encontrando o ponto de maior conforto. Oriente as palmas das mãos para cima.

---

22. Atenção: não se deve confundir shavásana com yôganidrá, que, no Yôga Antigo, é muito mais do que apenas uma posição de relax. Inclui a melhor posição, o melhor clima, temperatura, luz, a melhor indução e música para esse descanso. Consulte no início do livro o capítulo O ásana dentro da prática completa. Para aprender sobre yôganidrá leia o livro Relax, de Anahí Flores.

O mahá shavásana tem os braços e pernas bem afastados, abertos em cruz. A sensação de entrega é ainda maior e, por isso, costuma ser orientado para alunos mais antigos.

mahá shavásana

swára shavásana

O swára shavásana deixa os joelhos flexionados e juntos de forma tal que possam descontrair-se as pernas mantendo-se a posição. Descansa mais a região lombar da coluna.

udara shavásana

Os shavásanas com o corpo voltado para baixo (udara) precisam da compensação no pescoço. Assim, no meio da descontração dever-se-á interrompê-la para mudar a posição da cabeça. Podem-se realizar também as variações padma e bhadra de frente para o solo.

padma shavásana

Para aqueles com mais flexibilidade nas articulações das pernas e quadris – ou que queiram consegui-la – temos as variações padma, vajra e bhadra. Mas apenas as faça se você conseguir realmente se descontrair nessa posição!

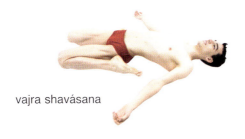

vajra shavásana

bhadra shavásana

Ao finalizar o relax, lembre-se de voltar devagar, dando o tempo que for necessário para que a musculatura que foi mais estendida readapte-se à posição.

parshwa shavásana

O parshwa shavásana consiste numa posição deitada de lado (parshwa) bem confortável. Esta variação é ideal caso o praticante esteja com qualquer desconforto na garganta. Se na variação uttara, ao estender a garganta, sentir vontade de tossir, simplesmente vire de lado e continue seu yôganidrá!

váyútkásana • hamsa mudrá

Categorias de Ásana

Dhyánásanas

Posições sentadas para meditação

Temos ainda outra categoria bem importante de técnicas corporais que se refere às posições sentadas, utilizadas para os exercícios de meditação (dhyána). Devem ser, primeiramente, confortáveis; se não o forem, tornar-se-á impossível dedicar-se ao exercício de concentração ou meditação, pois a própria posição dispersará a atenção do praticante. Daí a importância de um período preparatório com reforço do trabalho das técnicas orgânicas, a fim de criar a estrutura para que o praticante possa permanecer sentado realizando as técnicas, sem cansar as costas ou as pernas[23].

Dentre os dhyánásanas, os principais são aqueles com as pernas cruzadas. Eles têm polaridade, ou seja, são realizados de forma diferente para o homem e para a mulher. Isto se deve à polaridade diferente no corpo, que é predominantemente positiva no lado direito dos homens e esquerdo das mulheres; no lado direito das mulheres e esquerdo dos homens, a polaridade negativa é a que predomina. A nossa metodologia trabalha intensamente o aspecto energético com o objetivo de despertar e estimular a energia kundaliní, de polaridade negativa e adormecida na base da coluna. Sendo assim, iremos sempre aproximar da região perineal o calcanhar de polaridade negativa, pois, de acordo com as leis da física, negativo com negativo se repelem; logo, estimulamos a ascenção da kundaliní.

Destacamos como dhyánásanas mais importantes:

---

23. Na estrutura do Método, esse período preparatório é a turma de iniciantes, que foca mais a técnica orgânica, além de exercícios respiratórios e de descontração.

 samánásana

 siddhásana

 padmásana

Samána é o nome de um dos subpránas, que atua na região gástrica. Este é o dhyánásana ideal para os iniciantes pois, mesmo que os joelhos ainda não toquem no chão, através da permanência irão descer pela atuação da força da gravidade até tocarem no solo. Assim, ele prepara para ásanas mais adiantados.

Siddhis são os poderes paranormais. *Siddhas* são aqueles que os desenvolveram. Neste ásana, o praticante fica sentado com o períneo sobre o calcanhar; a estimulação é mais forte, motivo pelo qual é indicado para os instrutores. Aprenda a montagem correta no **Técnicas corporais do Yôga Antigo**.

Padma significa *lotus*. Neste ásana, as plantas dos pés ficam viradas para cima, estimulando, assim, os processos meditativos mais profundos, pois nos desligam do terreno. Também, as pernas bem cruzadas criam uma isquemia nelas e concentram mais sangue no eixo central do corpo, onde estão os órgãos e alguns dos chakras mais importantes.

 swástikásana

O swástikásana é um dhyánásana meramente simbólico, não tem atuação magnética, mas possui uma função prática: na execução correta, o pé esquerdo está sempre por cima (tanto para o homem quanto para a mulher) e as pontas dos pés sempre ocultas dentro da dobra da perna. Assim, ele mantém os seus pés aquecidos e, portanto, o corpo! Utilize-o caso o local da prática esteja frio demais para o seu conforto.

Se por algum motivo o praticante não puder sentar-se na posição com as pernas cruzadas, temos as outras famílias:

rája vajrásana

Vajra significa, neste caso, bastão, vara. Para quem tem menos flexibilidade nos quadris sentar em vajrásana possibilita manter as costas estendidas.

rája puránásana

rája vírásana

O samána vajrásana (ou vajra samánásana) e o padma vajrásana (ou vajra padmásana) devem ser compensados, pois deixam a coluna levemente torta. Eles podem ser úteis para variar a posição das pernas, caso elas se cansem num outro dhyánásana de polaridade.

samána vajrásana

padma vajrásana

utthita padma vajrásana

utthita samána vajrásana

A variação em utthita, sentado sobre o pé e com o calcanhar pressionando o períneo, estimula fortemente essa região e será utilizada em práticas mais adiantadas, mesmo sem trabalhar as polaridades; ela também deve ser compensada.

Finalmente, vejamos alguns dos dhyánásanas mais utilizados de forma associada com respiratórios específicos, pois eles estimulam as três principais nádís (idá, pingalá e sushumná[24]).

Uma dica para os praticantes não se confundirem na execução do idásana e pingalásana é partir sempre do samánásana, e lembrar que não deverá trocar-se o pé que está por dentro: mantenha a mesma polaridade, sempre o mesmo pé por dentro.

No idásana, mantenha a perna de polaridade negativa (direita para as mulheres, esquerda para os homens) no chão, com o calcanhar próximo do períneo; abrace a outra perna elevada, pressionando-a contra o peito.

Dessa forma, liberamos o lado de idá nádí, dando, com isso, nome ao ásana.

idásana

No pingalásana, mantenha a perna de polaridade positiva (esquerda para as mulheres, direita para os homens) no chão; abrace a outra perna elevada, pressionando-a contra o peito, com o calcanhar próximo do períneo.

Dessa forma, liberamos o lado de pingalá nádí, dando, com isso, nome ao ásana.

pingalásana

No sushumnásana, abrace ambas as pernas flexionadas, pressionando-as contra o peito, com a coluna ereta.

Ativamos, assim, sushumná nádí, o canal central que deverá estar estendido para a ascensão da kundaliní.

sushumnásana

24. *Nádís* são os canais do corpo energético. Delas, idá (de polaridade negativa), pingalá (de polaridade positiva) e sushumná (coincidente com a medula espinal) são as principais. Estude-as no livro *Chakras, kundaliní e poderes paranormais*, do Prof. DeRose.

CATEGORIAS DE ÁSANA

MUSCULARES

Além das categorias principais de ásanas que estudamos até agora – com os quais balanceamos uma prática completa – existem outros tipos de posições que não trabalham especificamente a flexão ou torção da coluna, mas atuam noutras áreas.

Comecemos pelas técnicas musculares. É claro que todos os ásanas trabalham a musculatura – definindo, alongando, fortalecendo, proporcionando estrutura e resistência – mas existem algumas técnicas em que isso se torna mais prioritário e as categorizamos como musculares.

Poderão trabalhar mais a musculatura dos ombros, dos braços, das costas, do abdome, das pernas, etc. Como cada corpo é diferente de outro, a mesma posição ainda poderá, numa pessoa, exigir mais dos braços; numa outra, dos ombros; em outra, das costas; e ainda noutra, dos punhos e mãos! Isso se aplica, por exemplo, ao chatuspádásana (veja a foto na página seguinte).

Mas, de fato, em cada técnica muscular poderíamos dar um exemplo similar. Daí a importância do autoconhecimento desenvolvido, em grande parte, pela localização da consciência – consulte mais à frente o capítulo *Regras gerais de execução, Localização da consciência*.

Importante também é variar as famílias de posições que realizamos no dia a dia e, dentro delas, utilizar distintas variações: a tendência natural do emocional muitas vezes é de levar-nos a fazer aquilo que conhecemos, que gostamos e que conseguimos executar; desafie-se passando regularmente os olhos pela quantidade de variações diferentes que constam na SISTEMATIZAÇÃO UNIVERSAL DE ÁSANAS, no **Tratado de Yôga** e encontre sempre alguma variação diferente para colocar em prática.

Vejamos agora algumas opções de técnicas musculares:

rája chatuspádásana

Nos **chatuspádásanas** mantenha o corpo estendido, mas sem sobrecarregar a região lombar: descontraia essa região, deixando os quadris alinhados. Se a variação com as palmas das mãos no chão cansar os seus punhos, realize o ardha, com os cotovelos e antebraços apoiados no chão; ou ainda aproveite para treinar o utthita, nas pontas dos dedos das mãos.

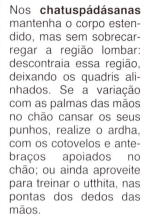

ardha chatuspádásana

utthita chatuspádásana

Para o **tripádásana** considere as mesmas dicas dadas no chatuspádásana. Ao elevar a perna estendida, coloque ainda mais atenção em não elevar os quadris: mantenha o corpo numa linha reta; se a região lombar se cansar, observe se o ásana está correto.

rája tripádásana

Na variação uttána dos chatuspádásanas e tripádásanas, eleve bem os quadris sem mover as mãos e pés do local. Descontraia as pernas, deixe que os calcanhares aproximem-se do chão. Tracione as costas alongando os ombros e elevando a cabeça, ou então descanse as costas e ombros com a cabeça solta se aproximando do solo.

Após longas permanências nas variações rája, a execução dos uttána contribui para descansar ombros, cintura, etc.

uttána tripádásana

uttána chatuspádásana

Na família dos **báhupádásanas** há um trabalho mais intenso sobre o ombro, como o próprio nome nos indica (báhu). Um erro bastante comum é arquear o corpo elevando demais os quadris, especialmente na variação com uma perna elevada (êkapáda). Observe que o corpo deve ficar estendido numa linha reta – dessa forma, o ásana atua fortalecendo intensamente a musculatura lateral e das costas. Se cansar o punho, realize a variação ardha, com o cotovelo e o antebraço no chão.

rája báhupádásana

utthita sukha mayúrásana

utthita ardha mayúrásana

Os **mayúrásanas** caracterizam-se por sustentar o corpo todo sobre as mãos, com um ou dois cotovelos pressionando o abdome – à exceção dos niralamba mayúrásanas que, como o prefixo indica, são sem apoio.

Fundamental em todos os mayúrásanas é deixar o queixo afastado do chão e a cabeça elevada: mantenha o olhar à frente ao realizar o ásana; comece apenas tirando os joelhos do chão (sukha) logo os pés também (ardha) e só ao sentir-se firme, estenda uma perna (êkapáda) e depois a outra (rája). Treine permanências progressivamente mais longas e perceba o fortalecimento das costas e do abdome.

Nas variações com apoio sobre ambos os cotovelos, esmere-se por mantê-los juntos, pois é assim que o mayúrásana atua, gerando uma pressão no abdome que estimula os órgãos dessa região; ao retornar do ásana, um fluxo maior de sangue estimula a limpeza desses órgãos vitais.

utthita êkapáda mayúrásana

utthita rája mayúrásana

Nas variações com um cotovelo no abdome, encontre o encaixe que lhe dê estabilidade: em geral, não é no centro, mas levemente de lado, próximo ao osso ilíaco. Verá que, para conquistar essas variações, o que se precisa mesmo é do jeitinho, somado ao equilíbrio... e não tanto de força como, às vezes, pode parecer.

êkahasta êkapáda mayúrásana

utthita úrdhwa mayúrásana

Desafio: faça o mayúrásana sobre as pontas dos dedos das mãos (utthita). O corpo fica mais elevado e acaba sendo até mais simples, além de muito mais impactante.

Os úrdhwa **samakônásanas** elevam o corpo sobre as mãos. Nas variações iniciantes, ainda com os pés no chão, aproveite para permanecer mais e fortalecer os braços; no rája úrdhwa samakônásana, mantenha as pernas paralelas ao chão e eleve ao máximo os quadris; no mahá úrdhwa samakônásana, os quadris projetam-se para frente e as pernas aproximam-se do rosto.

Mantenha sempre o rosto descontraído e, dentro do possível, o pescoço também.

utthita úrdhwa samakônásana   mahá úrdhwa samakônásana

Os **kákásanas** caracterizam-se, em geral, por sustentar o corpo todo sobre as mãos, com um ou dois joelhos apoiados sobre os braços.

Constituem uma família bem ampla e variada podendo ter os braços flexionados ou estendidos (variações úrdhwa) apoiar-se sobre as palmas das mãos, ou na ponta dos dedos (utthita) ter uma perna elevada (êkapáda) ou as duas (mahá) as pernas apoiadas de lado sobre um braço só (parshwa) ou ainda mudar o apoio passando os braços por debaixo das pernas (kôna). Estude todas as variações no *Tratado de Yôga*.

Alguns kákásanas constituem técnicas musculares avançadas, mas podemos também encontrar variações simples e especialmente apropriadas para o iniciante. O leigo pode considerar difícil, porém, quando o praticante começa a desenvolver a consciência corporal e ganhar um pouco de força, os kákásanas costumam ser os primeiros musculares com os pés fora do chão a conquistar-se.

> O rája kákásana marca um momento importante para o iniciante, pois é uma mudança de paradigma: aquilo que parecia impossível torna-se possível. Sem dúvida, um grande estímulo para continuar progredindo na prática!
>
> Para começar com o rája kákásana observe:
>
> • as mãos abertas e afastadas à distancia dos ombros;
>
> • o olhar à frente – nunca olhe para os pés;
>
> • a coluna estendida;
>
> • os braços levemente flexionados;
>
> • os joelhos apoiados nos braços, acima dos seus cotovelos;
>
> • tire primeiro um pé, leve o peso do corpo para as mãos, coloque a consciência até nas pontas dos dedos das mãos;
>
> • tire então o segundo pé!

rája kákásana

rája vajrôlyásana   mahá vajrôlyásana

Nos **vajrôlyásanas**, eleve o torso e as pernas, formando um ângulo de menos de 90 graus. A força está no abdome, pernas, região lombar; logo, descontraia os ombros e o pescoço! As pernas e os pés deverão estar estendidos. Experimente elevar os braços aos lados das orelhas e conquiste a variação mahá, com a testa nos joelhos.

A família dos **jánurásanas** é simples e com poucas variações. Bem importante, porém, para criar estrutura na musculatura das pernas e fortalecer os joelhos. Ideal para o iniciante, mas também para o praticante mais avançado explorar permanências mais longas, desafiando as suas emoções.

O jánurásana constitui a base dos jánutrikônásanas: mantenha a perna flexionada a 90 graus, ou levemente acima disso, mas nunca menos de 90 (veja o pádaprasáranásana no próximo capítulo, Abertura pélvica); os pés também num ângulo de 90 graus – um girado para fora e o outro apontando para a frente; ambas as plantas dos pés bem apoiadas no chão; os braços descontraídos, na cintura, ou elevados; os quadris encaixados.

rája jánurásana

Os **mêrudandásanas** trabalham o corpo em geral estendido e sempre próximo do chão; fortalecem principalmente a região abdominal, a cintura e as costas. Com muitas variações, pode se elevar somente o torso, ou também as pernas estendidas (sempre próximas do chão); flexionar uma ou as duas pernas e juntar testa e joelhos (êkapáda jánusírsha e dwapáda jánusírsha); fazer uma leve torção e girar o tronco, mas mantendo os quadris no chão (vakra); ou ainda deitar de lado (parshwa) com o torso e as pernas elevadas e arquear lateralmente a coluna.

rája mêrudandásana

É comum que os praticantes iniciantes tencionem o pescoço. Nesse caso, podem-se enlaçar as mãos por trás da nuca para sustentar a cabeça. Mais à frente, deixe os braços estendidos aos lados do corpo (mahá).

mahá êkapáda jánusírsha mêrudandásana

Nas variações parshwa (de lado) mantenha o corpo num mesmo plano: evite levar pernas ou quadris para frente ou para trás.

parshwa mêrudandásana

Categorias de ásana
Tração

Continuemos com as categorias de ásanas que não implicam necessariamente numa flexão ou torção; chegamos às técnicas de tração.

Trata-se de técnicas que geram força com uma intensa extensão do corpo e aumentam, com isso, o espaço entre as vértebras. Podem chegar a proporcionar um crescimento efetivo se realizadas todo dia, proporcionando, assim, uma melhor extensão da coluna.

Inicie o **talásana** em ádyásana – com os pés afastados a dois palmos e os braços descontraídos ao lado do corpo – e, inspirando, eleve os braços estendidos e os calcanhares ao mesmo tempo e de forma sincronizada com a inspiração – apenas termine de estender os pés e elevar os braços ao preencher os seus pulmões. Depois de completar o movimento, ainda continue estendendo, esticando, crescendo.

Os braços devem subir pela frente e descer lateralmente, gerando assim um movimento de rotação dos ombros.

Sincronize também a exalação com o movimento de descer braços e calcanhares.

talásana

A característica de tração no ásana pode estar inserida numa técnica de outra categoria dependendo da forma de execução que o praticante escolher. Por exemplo, as flexões em geral começam sempre se estendendo com as mãos enlaçadas e os braços ao lado das orelhas. Nesse ponto, também tracione, estenda-se com mais força e, só então, flexione o corpo; depois de dar a máxima flexão, continue tracionando na intenção de esticar-se, estender-se mais e crescer.

Supta e úrdhwa mêrudandásana: trata-se de movimentos de passagem para deitar e sentar. O supta mêrudandásana começa em puránásana; o movimento para deitar-se é lento e consciente, evitando movimentos bruscos, apoiando vértebra por vértebra no chão; em seguida, estenda-se em mêrudandásana, tracione, estique-se plenamente e descanse em uttara shavásana.

O movimento inverso inicia-se com tração da mesma forma: continue, sentando-se com a força do abdome, sem impulso, e finalize em puránásana.

Os braços podem estar descontraídos com as mãos apoiadas nas coxas (variação iniciante), estendidos a 90 graus do torso (variação intermediária) ou ao lado das orelhas, na continuidade do torso, com as mãos enlaçadas (variação avançada).

supta mêrudandásana - *variação intermediária*

úrdhwa mêrudandásana - *variação avançada*

rája halásana

O **halásana** é uma das invertidas sobre os ombros – consulte o capítulo *Invertidas* para mais detalhes. Especialmente na sua variação com as pernas estendidas e pontas dos pés no chão, gera-se uma forte extensão na parte posterior do corpo.

Categorias de Ásana
Abertura Pélvica

Finalmente, estudaremos as técnicas de abertura pélvica. As posições desta categoria atuam intensamente sobre a musculatura pélvica e das virilhas, e a flexibilidade dos quadris.

rája sírángushthásana

Para realizar o **sírángushthásana**, primeiramente flexione ao máximo uma das pernas – os quadris descem sem ir para trás. Só então, desça o torso levando a testa (sírsha) próxima do dedo maior do pé (angushtha).

A cabeça toca o chão, mas não se apoia – a não ser que a permanência seja muito longa.

Mantenha as costas e o pescoço descontraídos bem como a musculatura da região pélvica, deixando, assim, que os quadris desçam ainda mais.

rája pádaprasáranásana

No **pádaprasáranásana**, mantenha uma perna bem estendida; a outra deve se flexionar ao máximo, atuando, assim, especialmente para estender a virilha e a parte anterior da perna. Estude no *Tratado de Yôga* as três variações para o pé de trás e a infinidade de variações para a posição do torso e dos braços.

rája upavishta kônásana

rája hanumanásana

rája prasáranásana

Os **upavishta kônásanas**, **hanumanásanas** e **prasáranásanas** trabalham a flexibilidade dos quadris de distintas formas. Após uma longa permanência neste tipo de ásana, que gera uma maior extensão da musculatura, observe um retorno lento, respeitando e protegendo a musculatura trabalhada.

Sobre os pakshásanas, veja o capítulo *Equilíbrios*.

Um excelente treinamento para eles são os gôkarnásanas, família de técnicas deitadas que também trabalham a flexibilidade dos quadris. Nas variações em decúbito dorsal, observe que os ombros e os quadris não saem do chão.

rája pakshásana

rája gôkarnásana

Contexto e codificação

> *A técnica corporal deve ser*
> *firme e confortável.*
> capítulo II, 46 do ***Yôga Sútra de Pátañjali***, de DeRose

Segundo a definição que nos oferece Pátañjali, pode-se interpretar que qualquer posição constitui um ásana, desde que seja firme e confortável.

Por que então a *necessidade* de codificar as técnicas, colocar-lhes nome, arrumá-las, classificá-las? Simples: para possibilitar o estudo, assim como preservar o conhecimento, que permanece, então, registrado nos livros.

Separamos em categorias e famílias de ásana segundo a sua área de atuação[25]. Porém, nada disso pretende tornar-se uma regra exata e eventualmente acontece que uma mesma técnica orgânica encaixa-se em duas famílias diferentes e adota, portanto, dois nomes diferentes. O produto final – que vemos na foto – é o mesmo, contudo se consideramos o contexto em que se encontra a técnica e a intenção ao realizá-la conseguimos dar o nome.

Para exemplificar isso, colocaremos alguns ásanas *iguais*, mas com nome *diferente*, e o seu contexto é que explica a atuação – e portanto o fato de serem famílias diferentes. Teremos, às vezes, duas sequências de ásanas, com as imagens de posições prévias, mas para chegarmos a uma mesma técnica final.

---

25. Para conhecer as famílias de ásana assim como compreender a lógica dos nomes destas técnicas (prefixos, sufixos, radicais) estude o livro *Técnicas corporais do Yôga Antigo*, desta mesma autora.

(1) A mesma posição no contexto de uma série de trikônásanas, trabalhando neste caso a força das pernas.

rája jánutrikônásana

vakra jánutrikônásana

baddha vakra jánutrikônásana

E numa outra sequência trabalhando agora a extensão das pernas:

parshwa ardha úrdhwa bhujangásana

baddha vakra pádaprasáranásana

baddha vakra pádaprasáranásana

A posição final é quase a mesma; a intenção com que está sendo feita e o contexto – as técnicas que nos levaram até ela – diferenciam a atuação e o nome.

Melina Flores 107

(2) Vejamos o exemplo de um muscular sobre as duas mãos. A forma de fazê-lo determina em que família ele se encaixará.

> O mahá kákásana e suas variações devem partir sempre do rája kákásana.

rája kákásana   mahá kákásana

Ou então partindo do pádahastásana, elevando as pernas estendidas:

> O dwahasta vrishkásana e variações partem de outras posições, como o pádahastásana.

ardha pádahastásana   ardha dwahasta vrishkásana

(3) Outro exemplo, primeiramente numa família de torção propriamente dita (vakrásana), com as pernas afastadas, mas não necessariamente ao máximo. E logo, numa família de extensão das pernas (prasáranásana) em que associamos a torção.

Os vakrásanas, como seu nome indica, constituem um conjunto de técnicas com torção; existem variações para a posição das pernas.

rája vakrásana

Os prasáranásanas trabalham, como seu nome indica, a extensão das pernas. Na sua variação com torção, ele coincide visualmente com o rája vakrásana.

vakra prasáranásana

(4) O idásana e o sukha mandukásana têm uma execução parecida. No entanto, o idásana, por ser um dhyánásana, deve ser realizado respeitando-se as polaridades (o calcanhar de polaridade negativa por dentro), enquanto o mandukásana não tem polaridade (a perna que se apoia no solo fica sempre por dentro), pois ele visa trabalhar apenas as articulações.

idásana   pingalásana

Para compreender ainda mais, observe as respectivas compensações: o sukha mandukásana compensa-se com ele mesmo executado ao contrário; o idásana será compensado pelo pingalásana, com as pernas ao contrário mas o calcanhar de polaridade negativa sempre por dentro.

sukha mandukásana   sukha mandukásana

utthita baddha parshwa kákásana

FASES PASSIVA E ATIVA

Todo ásana pode ter a sua fase de permanência em descontração (fase passiva) e a fase mais intensa (ativa). As duas atuam de formas diferentes: na primeira, aprendemos a nos descontrair mesmo permanecendo no ásana, inclusive numa técnica muscular; ganhamos consciência corporal através dessa descontração, pois soltamos cada músculo do corpo, deixando apenas a tensão mínima para manter a posição. Na segunda, interferimos para intensificar a técnica, agora atuando de forma ativa, ampliando a consciência para aquela musculatura mais trabalhada pelo ásana.

VARIAÇÕES SUKHA, ARDHA, RÁJA E MAHÁ

Na maioria das famílias de técnicas orgânicas, encontramos estas variações; elas nomeiam os estágios principais do avanço progressivo durante a permanência: desde a variação mais simples até a mais avançada.

Sukha significa *fácil, agradável*, e refere-se à posição realizada em descontração. **Ardha**, *incompleto*, quando a posição não chegou ao seu ponto máximo, seja por falta de flexibilidade ou de força, ou por tratar-se ainda do início da permanência.

Rája é traduzido como *real* e refere-se à posição básica; se o nome do ásana não está acompanhado de nenhum outro prefixo é porque estamos referindo-nos a esta variação.

E **mahá**, que significa *grande*, é quando vamos além, alcançando uma posição mais avançada.

Não necessariamente todas as famílias de ásana possuem estas variações, mas sempre podemos diferenciar esses estágios e administrar o tempo de permanência no ásana.

Exemplifiquemos observando estas variações na família dos paschimôttánásanas.

sukha paschimôttánásana

Na variação **sukha** descontraia cada músculo do corpo, mas, é claro, preservando a posição.

ardha paschimôttánásana

Em **ardha** comece a atuar para avançar, mesmo não conquistando ainda a variação completa.

O **rája** é sempre a variação principal e completa de cada família.

rája paschimôttánásana

As variações **mahá** estão reservadas àqueles com mais força e flexibilidade, pois elas nos levam para além dos limites aparentes.

mahá paschimôttánásana

As variações sukha
para conquistar a permanência no ásana

Na variação sukha, conquistaremos um estado de pleno relax. Permaneça inicialmente realizando apenas respirações profundas e soltando, a cada exalação, toda a musculatura. Inicie, já nesta fase, a localização da consciência ao perceber a área mais solicitada.

Em muitos ásanas – tal é o caso do paschimôttánásana – a própria força de gravidade ajuda-nos a avançar. Da nossa parte, bastará *soltar* o corpo, e a tendência será a de progredir na posição; desfrute da sensação do seu corpo amoldando-se ao ásana que, através dessa permanência consciente, torna-se, aos poucos, verdadeiramente firme e confortável. E o passo seguinte será conscientizar-se acerca das outras características do ásana: respiração profunda, mentalizações aplicadas sobre a localização da consciência, etc.

É comum que o praticante iniciante não tenha *paciência* para permanecer nesta fase: o corpo quer se mexer e a mente acha que assim, só descontraindo a musculatura, não iremos a lugar nenhum! Mas com o tempo, a consciência amplia-se para descobrir os detalhes: por fora pareceremos imóveis, por dentro, as transformações são constantes, a vivência intensa e estamos o tempo todo nos superando.

DINAMIZAÇÃO DO ÁSANA NA FASE ATIVA

Nas variações ardha, rája, mahá, etc., haverá um trabalho muscular na intenção de se avançar na posição.

O fato de, na fase ativa, estarmos atuando mais intensamente na posição não quer dizer que precisemos ir ao máximo logo de início. Administre o tempo de forma que você esteja sempre avançando rumo ao máximo das suas possibilidades. Essa atitude permite que os músculos adaptem-se à técnica e progressivamente consigam ir além.

Dessa forma, o fato de estarmos sempre avançando – ainda que seja um milímetro a cada exalação! – dá a sensação estimulante de estarmos sempre nos autossuperando.

Será principalmente nesta fase da permanência em que aplicaremos outras técnicas associadas ao ásana: respiratórios ritmados, bandhas, mantras, drishtis etc. Aprenda essas combinações com um instrutor formado e aplique-as na medida em que ele as indicar.

parshwa trikônásana • padmakôsha mudrá

APLICANDO AS REGRAS GERAIS
DE EXECUÇÃO

O Nosso Yôga, sistematizado de forma impecável pelo Prof. DeRose, possui dentre as suas principais características[26] as **regras gerais de execução**.

Estas regras têm por objetivo simplificar as descrições da técnica orgânica para possibilitar (1) que o praticante desenvolva a sua autossuficiência na prática e (2) que o instrutor não precise repetir as mesmas descrições para técnicas similares e possa dedicar esse tempo a ensinar outras técnicas associadas, aprofundando com isso a atuação do próprio ásana[27].

Vamos fazer uma revisão das regras, tal como estão explicadas no *Tratado de Yôga*. Vejamos também de que forma cada uma delas se aplicam no contexto da prática.

---

26. Das características principais do nosso Método, até agora, já mencionamos a prática ortodoxa e as sequências coreográficas. Além das regras gerais de execução, as demais são: o público certo, o sentimento gregário, a seriedade superlativa, a alegria sincera e a lealdade inquebrantável.

27. Esse é o **fator associativo** do nosso Método. Leia a respeito no livro *Tratado de Yôga*, de DeRose, capítulo *Ásana*.

Regras gerais de execução
1. Respiração coordenada

*Movimentos para cima
são feitos com inspiração;
para baixo com expiração.*
Tratado de Yôga, de DeRose

Esta regra torna-se fundamental para o iniciante que está familiarizando-se com a prática da técnica orgânica – inclusive porque a própria respiração consciente é uma das características do ásana.

A respiração coordenada enquanto se está no ásana permite-nos ampliar, gradativamente, a permanência nele (veja a regra n°. 2). A respiração sincronizada com as passagens entre um ásana e outro desenvolve a consciência corporal e do espaço em volta.

Mas como isso se aplica <u>na prática</u>?

A regra de respiração possui algumas sub-regras – em geral, elas se desdobram da primeira, porém nos ajudam a compreender melhor cada caso:

*Flexões para frente e para os lados
são feitas com expiração;
para trás com inspiração,
exceto as de pé.*
Tratado de Yôga, de DeRose

Vejamos primeiramente o exemplo de duas **anteflexões**[28]: pádahastásana e jánusírshásana.

---

28. Para entender quais são os tipos de flexões (categorias do ásana) consulte o capítulo *A prática balanceada.*

pádahastásana

> Primeiramente tracione, estenda a coluna – movimento para cima com inspiração – e depois realize a flexão sobre as pernas – movimento para abaixo com exalação.

jánusírshásana

Entendemos, assim, a lógica desta sub-regra para as anteflexões, e ela está intimamente relacionada à regra principal de respiração coordenada.

Passemos ao caso das **lateroflexões** utilizando também dois exemplos: nitambásana (em pé) e parshwa upavishta kônásana (sentado).

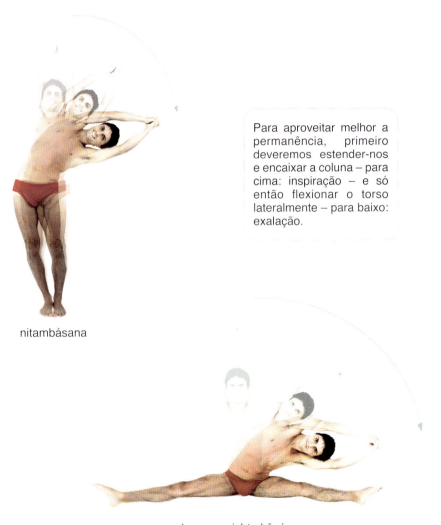

nitambásana

> Para aproveitar melhor a permanência, primeiro deveremos estender-nos e encaixar a coluna – para cima: inspiração – e só então flexionar o torso lateralmente – para baixo: exalação.

parshwa upavishta kônásana

E, neste caso, também encontramos a lógica da sub-regra para flexões laterais, pois ela se desdobra claramente da regra principal, tornando-se, assim, quase que instintivo executar a flexão desta forma.

Finalmente, passemos às **retroflexões** sentadas, deitadas e em pé – estas últimas têm uma sub-regra separada. Dois exemplos para se compreender a execução: sarpásana (deitado) e ardha chakrásana (em pé).

Vamos relembrar a regra principal? *Movimentos para cima são feitos com inspiração; para baixo com expiração.*

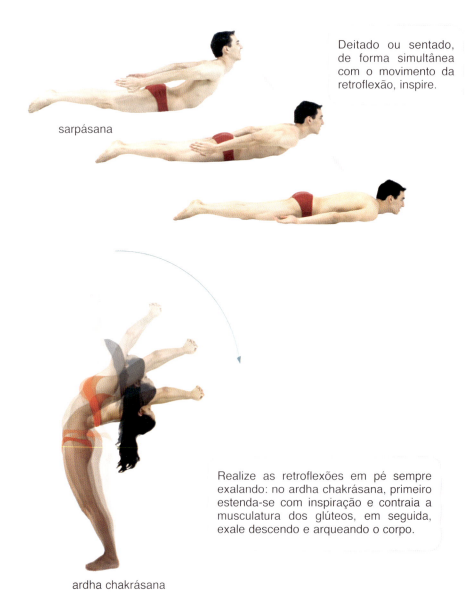

Deitado ou sentado, de forma simultânea com o movimento da retroflexão, inspire.

sarpásana

Realize as retroflexões em pé sempre exalando: no ardha chakrásana, primeiro estenda-se com inspiração e contraia a musculatura dos glúteos, em seguida, exale descendo e arqueando o corpo.

ardha chakrásana

> *Ao torcer uma esponja molhada a água sai:
> ao torcer o tórax, que é uma esponja de ar, o ar sai.*
> **Tratado de Yôga**, de DeRose

Chegamos agora às torções de coluna.

Aprendamos a sua melhor execução para associarmos isso à respiração coordenada. Sentado (matsyêndrásana) ou em pé (vakra jánúrdhwásana), primeiramente inspire profundo e estenda-se; só então, torça e exale:

ardha matsyêndrásana

vakra jánúrdhwásana

> *Posições musculares são feitas com os pulmões cheios.*
> **Tratado de Yôga**, de DeRose

As retenções com pulmões cheios, assim como os respiratórios acelerados, conferem-nos mais força. Porém, lembre-se de que apenas poderão ser acrescentadas retenções com ar quando o ásana já estiver firme e confortável! Se não, dê preferência à respiração profunda e fluida. Vejamos dois exemplos de musculares: mayúrásana e kákásana.

úrdhwa kákásana   rája mayúrásana

> *Ásanas de longa permanência, ou em que o tronco esteja ereto, têm respiração normal.*
> **Tratado de Yôga**, de DeRose

Uma vez executados os ásanas de forma correta e com a respiração coordenada, chegamos ao caso de permanências mais longas no ásana. Esta regra indica-nos respirar de forma: nasal, consciente, profunda, completa e, se for o caso, ritmada.

Algumas técnicas em que podemos dedicar mais tempo a permanecer e vivenciar:

rája upavishta kônásana   rája vakrásana

sukha báhupádásana

rája chandrásana

Respire de forma nasal, silenciosa e completa, características estas da respiração yôgi.

mahá jánusírshásana

rája sírshásana

Aplicaremos também a respiração normal (nasal, consciente, profunda, completa) àqueles ásanas em que o tronco estiver ereto, por exemplo, em praticamente todas as técnicas de **equilíbrio**. Vejamos aqui alguns exemplos:

rája pakshásana

dwapáda angushthásana

sukha jánúrdhwa sírshásana

Dessa forma, já aprendemos também qual a respiração ideal para uma técnica que requer mais estabilidade e concentração: respiração normal e sem retenções.

E chegamos aqui à última sub-regra, para garantir realmente a autossuficiência e o bem-estar do praticante:

*Em caso de dúvida ou de mal estar,
pratique todos os ásanas com os pulmões vazios.*
Tratado de Yôga, de DeRose

REGRAS GERAIS DE EXECUÇÃO
2. PERMANÊNCIA

As regras de permanência aplicam-se a três situações diferentes:

*A permanência de prática em grupo, conduzida por instrutor,
é o tempo que ele determinar.*
Tratado de Yôga, de DeRose

Simplesmente, durante a aula, o aluno permanecerá o tempo que o seu instrutor indicar. Esse tempo varia conforme o ásana e o grau de adiantamento da turma. Como referência para o praticante, quando o instrutor indicar o retorno do ásana e ele se surpreender querendo permanecer mais, será um bom sinal de que já estava à vontade na técnica!

Para iniciantes com até 5 anos de prática – respiração retida.
Tratado de Yôga, de DeRose

Para não ter dúvidas de que o tempo de permanência estará dentro do que o praticante iniciante pode assimilar com conforto, a permanência indicada para os mais novos será com a respiração retida.

Mesmo sendo uma permanência mais curta, este tipo de prática, quando bem feita, é extremamente poderosa, inclusive para os alunos mais antigos.

Execute o ásana de acordo com a regra de respiração (regra n°. 1) e permaneça nele sem respirar (retenção com ou sem ar, dependendo do caso). Coordene o retorno com a próxima respiração e enlace com o ásana seguinte.[29]

---

29. A respiração retida é a indicada no CD *Prática Básica*, de DeRose. Essa forma de execução torna a prática segura para os iniciantes, pois a permanência é mais reduzida; e, mesmo assim, extremamente forte para os praticantes experientes que consigam respeitar à risca os comandos relativos à respiração.

> *Para veteranos saudáveis
> com mais de 5 anos de prática – respiração livre.*
> **Tratado de Yôga**, de DeRose

Com o tempo de prática e a experiência, o praticante desenvolve a consciência de ásana; chegado este momento, poderá permanecer por bastante tempo, agora com a respiração livre ou aplicando ritmos que tenha aprendido com o seu instrutor.

Um segundo é o início da permanência

O momento em que se consegue realizar um ásana por apenas um segundo é o momento em que se inicia a permanência. Nesse segundo em que adotamos o ásana, o corpo adquire o *know how* de como fazer a posição e do que é necessário para permanecer nela. Assim, será apenas uma questão de treino para conquistar uma permanência mais ampla.

Chegamos, dessa forma, à *regra de um segundo por dia*: imagine que hoje consegue realizar essa técnica específica por apenas um segundo. Um segundo de felicidade plena pela conquista! Tente fazer de novo, como treinamento, mas... já não dá certo. Com paciência, aguarde o dia seguinte e proponha-se a ampliar essa permanência em apenas um único e simples segundo. Pronto, agora temos dois segundos de permanência. No dia seguinte, a mesma experiência e, assim, aumentando um segundo por dia – medida de tempo aparentemente insignificante – no final do ano, temos nada menos que 365 segundos (ou talvez 366) isto é, mais de seis minutos! Nada mal para um ásana que, um ano atrás, não conseguia fazer...

Preceito moderador: dependendo do ásana, utilize o bom senso para manter a mesma permanência por um tempo, se for preciso. Respeite o limite do seu corpo – consulte a regra 8, que indica *esforçar-se sem forçar*.

REGRAS GERAIS DE EXECUÇÃO
3. REPETIÇÃO

Permanência máxima, repetição mínima.
Tratado de Yôga, de DeRose

Esta regra, intrinsecamente ligada à anterior, indica-nos a não repetição. Execute uma vez, permaneça, dê o seu melhor e, quando precisar, passe à técnica seguinte.

Isso gera um efeito definitivo sobre a musculatura, que não precisará de aquecimento prévio para alcançar a mesma flexibilidade ou alongamento que ganhou durante a prática – isto, é claro, aplicado ao tipo de técnicas que realizamos dentro da nossa disciplina.

Mas, como preceito moderador, temos a seguinte frase que nos previne:

A repetição existe, mas é exceção.
A regra é não repetir.
Tratado de Yôga, de DeRose

Somente repetiremos um exercício se estivermos numa aula e o instrutor o indicar: tendo um tempo dedicado a determinada técnica, quem tiver um melhor desempenho fará a permanência indicada; os iniciantes precisarão, talvez, apelar à repetição a fim de preencher esse tempo e treinar o exercício (consulte o capítulo *Prática, treinamento e demonstração*, mais à frente).

Pode também ser considerado repetição se, numa prática, realizarem-se várias posições similares, da mesma família por exemplo; mas isso é admissível também, desde que faça sentido no contexto da sequência.

upavishta kônásana • yônílingam mudrá

Regras gerais de execução
4. Localização da consciência

*Localize a sua consciência
na região mais solicitada pelo ásana.*
Tratado de Yôga, de DeRose

Ao adotarmos um ásana, a sensação inicial é de que o corpo vai se amoldando a ele. Aos poucos, enquanto vivenciamos a técnica, começamos a perceber a atuação da posição: musculos, articulações, etc., em que mais se faz sentir a permanência. Aquela região que está sendo especialmente solicitada instintivamente chama a nossa atenção. Ao levarmos os pensamentos para ela, ampliamos a consciência da área e passamos a conhecer melhor nosso próprio corpo.

A localização da consciência não segue uma regra exata, pois vai variar para cada posição, de uma pessoa para outra e até varia a cada dia, já que o corpo reage diferentemente às técnicas dependendo de se o praticante está mais ou menos treinado, cansado, alimentado, dependendo também das emoções e pensamentos que estiverem atuando naquele momento, etc.

Mesmo assim, de forma genérica, podemos observar que a atuação de um paschimôttánásana se sentirá na parte posterior do corpo (musculatura das pernas, cintura, costas, pescoço) a de um kákásana se fará sentir nos braços e ombros, a de um angushthásana nos dedos e plantas dos pés, etc.

rája paschimôttánásana

rája kákásana   dwapáda angushthásana

Desfrute da percepção dessa atuação no seu corpo e descubra de que forma as nuances do dia a dia influenciam a sua prática. Se vivenciarmos plenamente a atuação de cada ásana no corpo, conheceremos melhor o acervo de técnicas, otimizando, assim, a prática e as combinações possíveis. Logo, adquirimos mais autossuficiência para escolhermos a melhor variação de ásana para esse dia e essa prática específica.

Para um praticante iniciante esta regra aplica-se ao explicado até agora: localizar a consciência na região mais solicitada; perceba a atuação do ásana sobre músculos, articulações, etc. E, assim, com certo tempo de prática – esses tempos irão variar de uma pessoa para outra, numa combinação de dedicação, estudo e genética – a nossa consciência expande-se para o corpo físico.

Num segundo passo, esta regra é aplicada a um trabalho mais profundo sobre a fisiologia sutil: o praticante localiza a consciência nos chakras mais estimulados pelo ásana. Para orientar este tipo de práticas torna-se ainda mais necessária a presença de um instrutor formado.

Continue com a regra seguinte, que está intrinsecamente relacionada com esta.

REGRAS GERAIS DE EXECUÇÃO
5. MENTALIZAÇÃO

Regra de mentalização exotérica: imagens e verbalização positiva.
Visualize imagens claras e ricas de detalhes daquilo que você quer ver realizado.
Aplique a cromoenergética: cor azul celeste é sedativa. Cor alaranjada é
estimulante. O verde claro associa-se aos arquétipos primitivos da floresta
e induz à saúde generalizada. Dourado contribui para desenvolvimento interior.
Violeta auxilia a queimar etapas e superar karmas.
Regra de mentalização esotérica: yantras e mantras.
Tratado de Yôga, de DeRose

MENTALIZAÇÃO EXOTÉRICA

Esta regra supõe que foi compreendida e assimilada a anterior: sobre a localização da consciência aplicamos a mentalização de imagens, cores ou verbalização.

Em outras palavras, a mentalização em si (sempre positiva[30]) será localizada naquela região mais solicitada. Os elementos somam-se e uma regra reforça a outra na atuação sobre a técnica orgânica.

Lembre-se ainda de que a localização da consciência e a mentalização fazem parte das características do ásana referentes à atitude interior – consulte o capítulo *O que é ásana?* para ver o quadro. Assim sendo, só podemos dizer que estamos realizando *de fato* um ásana ao completarmos a técnica orgânica com estes elementos.

CORES

A mentalização pode ser reforçada pela utilização de cores; cores específicas estão ligadas, inconscientemente, a efeitos específicos: alaranjado à força e

---

30. *Palavra é mantra*; mentalize sempre ideias positivas, construtivas. Leia o capítulo *La mentalización positiva* no livro **Relax, permanezca lúcido y despierto**, de Anahí Flores.

vitalidade, azul celeste à descontração, verde à regeneração celular e saúde em geral, etc.

Na região mais solicitada pelo ásana, impregne a musculatura ou a articulação específica com a cor apropriada.

Este tipo de visualização (mentalização apenas visual) é a mais indicada para os iniciantes. Assim como na técnica de samyama[31], começamos utilizando uma imagem como objeto de concentração[32], também aqui recomendamos começar trabalhando com o aspecto visual por ser, geralmente, mais simples de criar-se mentalmente.

Imagens

A mentalização de imagens claras e ricas daquilo que você quer ver realizado pode ser aplicada a tudo na vida: metas do dia a dia, objetivos de longo prazo, relacionamentos, personalidade, saúde, desempenho nas atividades em geral, etc. E é claro, à prática das técnicas do nosso acervo.

No caso dos ásanas, enquanto permanece na técnica, imagine-se realizando aquela variação mais adiantada, como se estivesse acontecendo *agora*. Inclua os detalhes que compõem essa imagem mental:

· como estaria o seu corpo – com mais alongamento, com mais força, etc, dependendo da posição;

· como seria a sensação do tato do corpo ao permanecer nessa técnica mais avançada;

· como você estaria se sentindo nesse momento;

· como a posição física reflete-se nos outros planos mais sutis;

· deixe o seu rosto sorridente ou descontraído pois, assim, você atrela a ideia daquela posição mais avançada a um estado de conforto e até felicidade;

---

31. Samyama é o nome do último anga da prática básica; consiste nas técnicas de concentração, meditação e hiperconsciência.
32. Aprenda sobre yantra dhyána, concentração sobre uma imagem, no *Tratado de Yôga*, de DeRose.

· se você quiser, ainda mentalize as mudanças que almeja conquistar no seu corpo: visualize-o mais forte, a musculatura mais definida, etc., dependendo do que quiser trabalhar.

Observe que, neste exemplo de mentalização de imagens, inclui-se não apenas o sentido visual, mas todos os outros e até as emoções. Consulte o capítulo *Construa arquétipos, reforce ideias, conquiste ásanas* para ampliar esta informação e as possibilidades de mentalização.

VERBALIZAÇÃO POSITIVA

Outra forma de mentalização que pode ser associada à prática é a verbalização positiva. Consiste em *conversar* com a região do seu corpo mais solicitada, sempre com carinho, porém com firmeza, como se o nosso corpo fosse uma criança à qual tenhamos que mostrar o caminho a percorrer-se; ou ainda como se estivéssemos *negociando* com ele para que permaneça um pouco mais e dê o seu melhor, sabendo, no fundo, que são apenas uns segundos, da totalidade do dia, que estão sendo destinados a essa técnica.

Assim como uma criança, que nem sempre está disposta a obedecer, o nosso corpo poderá querer *escapulir* do ásana e reduzir a permanência, como se quisesse nos dizer que já foi suficiente; logo, a *conversa* interna deverá ser firme e convincente para que o corpo entenda que é isso mesmo e que é melhor continuar permanecendo!

MENTALIZAÇÃO ESOTÉRICA

A metalização esotérica (de yantras e mantras) fica reservada, como seu próprio nome indica, para ser aprendida de forma direta com seu instrutor ou supervisor.

utthita êkapáda parshwa kákásana

Regras gerais de execução
6. ÂNGULO DIDÁTICO

As regras de ângulo didático referem-se à melhor forma de mostrar uma posição qualquer a um eventual espectador, seja para esse espectador conseguir copiar e fazer também, ou simplesmente para compreender a técnica. Sendo assim, indicam o melhor ângulo para ensinar e corrigir uma posição – daí o seu nome didático.

Esta regra torna-se fundamental na hora de criar uma coreografia (uma demonstração de técnicas em sequência) pois o próprio objetivo dessa forma encadeada de praticar é que aquele que assiste entenda e veja-se cativado pela apresentação.

Podemos pensar no critério do ângulo didático como o melhor ângulo para se fazer a foto de uma técnica, de modo que ela fique não só compreensível, mas também estética. Observe então que, às vezes, dependendo da posição e de como a fotografemos, uma parte do corpo pode ficar deformada pela perspectiva. Assim sendo, o ideal é procurar deixar o corpo o mais paralelo possível com relação ao espectador.

Um exemplo claro neste sentido é o mayúrásana, técnica muscular cujo melhor ângulo é, evidentemente, de lado:

utthita mayúrásana

utthita mayúrásana em ângulo incorreto para demonstração

Ocasionalmente os fotógrafos consideram interessante um ângulo alternativo utilizando a fuga em perspectiva; desta forma não só o ásana não fica tão claro de se entender, como torna-se antiestético, com a cabeça desproporcionalmente grande e os pés pequenos.

O mesmo critério poderíamos aplicar a uma infinidade de ásanas e, ao final, o melhor é buscar que a técnica fique paralela ao espectador.

Sendo assim, vamos aplicar esse critério a cada uma das categorias para compreender melhor:

> *Posições de flexão para frente,*
> *para trás e de torção são demonstradas de lado.*
> *As de flexão lateral são demonstradas de frente.*
> **Tratado de Yôga**, de DeRose

anteflexões: de lado
rája paschimôttánásana

retroflexões: de lado
rája ushtrásana

torções: de lado
rája matsyêndrásana

lateroflexões: de frente
parshwa jánusírshásana

Nas demais categorias, precisa-se analisar cada caso. Mesmo assim, utilizando os critérios já mencionados e um mínimo de bom senso estético, isto se torna uma tarefa simples.

O ângulo didático das posições tem também, com frequência, certa flexibilidade. Dentro de uma família, temos variações que utilizam uma perna ou braço específico, mas isso não muda a posição, por exemplo, do torso, ou do corpo em geral. A princípio, o melhor ângulo será sempre utilizando o braço ou a perna do lado do espectador:

rája prathanásana

êkapáda chakrásana

utthita tripádásana

Porém, se, por exemplo, no contexto de uma coreografia e pelas passagens escolhidas entre as posições fosse melhor utilizar a outra perna, temos essa possibilidade, pois isso não comprometeria nem o entendimento da posição, nem a estética.

rája prathanásana

utthita tripádásana

êkapáda chakrásana

Para considerar estes casos é preciso utilizar o bom senso. Sendo assim, peça a opinião dos amigos e, principalmente, do seu instrutor. Observe-se no espelho ao treinar a sequência, veja se o critério de ângulo didático fica comprometido; se as suas costas girarem e o ásana ficar de costas para o espectador ou então o seu rosto ficar oculto, então procure outra variação!

E como regra final:

> *Jamais dar as costas ou as solas dos pés na direção do observador.*
> **Tratado de Yôga**, de DeRose

Regras gerais de execução
7. Compensação

Esta regra está intrinsecamente relacionada com o próprio balanceamento da prática – consulte o capítulo *A prática balanceada* – pois, além de colocarmos todos os tipos de movimentos de coluna numa prática completa, eles deverão estar rigorosamente compensados: os exercícios feitos para um lado, seguidos da técnica idêntica para o outro lado.

Sempre que fizer um ásana de anteflexão, compense com um de retroflexão, e vice-versa.
Tratado de Yôga, de DeRose

As anteflexões e retroflexões compensam-se, portanto, neste caso, a compensação não seria com outra técnica *idêntica*. Mesmo assim, o ideal para uma boa compensação é colocar estas técnicas juntas na série de ásanas da prática.

rája paschimôttánásana

rája bhujangásana

Sempre que executar uma flexão para a esquerda, compense com uma para a direita, e vice-versa. Idem para as torções; e assim sucessivamente.
Tratado de Yôga, de DeRose

No caso das lateroflexões e também das torções a seguir, deve-se compensar a posição com todas as suas características e técnicas que estejam associadas: o mesmo ásana, o mesmo mudrá, a mesma respiração, a mesma localização da consciência, os mesmos bandhas, etc.

uttána parshwa jánusírshásana

ardha matsyêndrásana

Assim como ocorre com as lateroflexões e torções, que devem ser sempre compensadas, às vezes, acontece isso com outros tipos de posições que também são assimétricas.

rája jánusírshásana

utthita êkapáda kákásana

Toda técnica realizada para um lado será logo compensada, realizada de forma idêntica para o outro lado.

mahá utthita dhanurásana

Organizemos então os ásanas em quatro grupos segundo a sua necessidade de compensação:

1. **Posições simétricas que se compensam com outro ásana.** Tratam-se de técnicas que flexionam a coluna para frente ou para trás. Assim, mesmo elas sendo simétricas, precisam compensar essa flexão da coluna com outro ásana diferente que utilize a flexão oposta. Entram aqui os paschimôttánásanas, pádahastásanas, ushtrásanas, bhujangásanas, chakrásanas, etc, e, inclusive, as invertidas sobre os ombros e sobre os antebraços.

2. **Posições simétricas que não precisam de compensação.** Existe, claro, um grupo de ásanas simétricos que não precisam de compensação: ádyásana, talásana, pádásanas, páda utkásanas, vajrásanas, sírshásanas, mayúrásanas, etc. Não possuem movimento da coluna e simplesmente trabalham alguma outra área. Podem ser inseridos na sequência da prática sem afetar o seu balanceamento.

3. **Posições assimétricas que se compensam com o mesmo ásana para o outro lado.** Entram neste grupo praticamente todos os ásanas que não mantenham o seu eixo de simetria, sejam flexões laterais, torções, técnicas de equilíbrio, musculares, etc. O critério é o mesmo para todos eles: uma técnica realizada para um lado será logo compensada, executada de forma idêntica para o outro lado. Temos aqui todas as flexões laterais e torções; pakshásanas, vrikshásanas, prathanásanas, êkapáda kákásanas, êkapáda samakônásanas, tripádásanas, báhupádásanas, jánutrikônásanas, pádaprasáranásanas, sírángushthásanas, etc. A lista é quase infinita! Encontramos ainda, dentro deste grupo, técnicas de anteflexão ou retroflexão que são assimétricas; logo, elas primeiro devem ser compensadas com a técnica idêntica para o outro lado para, só então, serem compensadas com o ásana da flexão oposta (observe o item 1). É o caso dos natarájásanas, úrdhwa dhanurásanas, jánusírshásanas, êkapáda chakrásanas, jánusírsha upavishta kônásanas, kapôdásanas, parshwôttánásanas, etc.

4. **Posições assimétricas que não se compensam.** Uma boa parte dos dhyánásanas (todos os de polaridade e mais o swástikásana) não utiliza compensação apesar de eles serem assimétricos. O motivo é que, no contexto da prática, eles têm o objetivo de influenciar energeticamente justamente através da sua assimetria e utilizando as polaridades do corpo. É uma boa precau-

ção compensá-los fora do contexto da prática, especialmente o padmásana – consulte o capítulo *Categorias de ásana, dhyánásanas*, posições sentadas para meditação para conhecer essas posições e aprender mais sobre a sua atuação.

Coloquemos ainda esses mesmos quatro grupos em forma de quadro cruzado, para uma melhor a compreensão:

	simétricos	assimétricos
devem compensar-se		
não se compensam		

> *No caso de séries longas, pode ser recomendável*
> *reduzir a proporção de retroflexões.*
> **Tratado de Yôga**, de DeRose

No caso de práticas mais longas em que possamos incluir mais do que apenas o mínimo de técnicas para balancear a prática, deveremos ter o cuidado de incluir uma proporção maior de técnicas de anteflexão do que de retroflexão. Consulte o capítulo *A prática balanceada* para mais detalhes.

COMPENSAÇÃO EM SÉRIE

Encontramo-nos também, às vezes, com o caso de séries de ásanas que são compensados também em série. Isto é, duas ou três posições feitas todas para um lado e só depois realizadas, na mesma sequência, para o outro lado.

Este procedimento não é recomendado, pois pode comprometer a compensação da técnica: imagine realizar uma torção para um lado e, sem compensar, uma lateroflexão; ainda sem compensar, uma anteflexão e finalmente uma técnica muscular. E só então, fazer todas as técnicas para o outro lado. A nossa coluna merece mais carinho e cuidado!

Como se isso não fosse pouco, sendo tal série de mais do que três ásanas ainda se perde a consciência de quanto tempo permanecemos em cada um, e provavelmente na compensação o tempo não será o mesmo; além disso, há a própria possibilidade de esquecer-se um dos ásanas na hora de compensar!

Feitos os esclarecimentos, somente estruture sequências pequenas[33] de técnicas bem similares ou variações da mesma família – dessa forma, elas se complementariam sem comprometer a compensação. Este tipo de recurso também estimula o aluno novo a ampliar a permanência nas técnicas, pois, no início, a diversidade de posições é fundamental para poder permanecer mais em cada uma.

Vejamos alguns casos, apenas como exemplo, pois este conceito não segue uma regra estrita; torna-se fundamental a experiência e vivência de ásana para percebermos as combinações possíveis.

---

33. O único caso em que se poderiam admitir séries longas de técnicas orgânicas compensadas só no final é o de uma coreografia.

Série de trikônásanas:

rája trikônásana

rája jánutrikônásana

utthita prasárana jánutrikônásana

Série de equilíbrios:

rája trishúlásana

rája pakshásana

nirahasta pakshásana

Série de torção e musculares:

ardha matsyêndrásana

utthita baddha parshwa kákásana

utthita viparíta parshwa kákásana

Série de musculares e lateroflexão:

êkapáda báhupádásana

êkapáda viparíta báhupádásana

viparíta parighásana

rája prasáranásana • hamsa mudrá

Regras gerais de execução
8. Segurança

*Esforce-se sem forçar. Qualquer desconforto, dor, aceleração cardíaca
ou transpiração em excesso são avisos do nosso organismo
para que sejamos mais moderados.
Estes ásanas não devem cansar e sim recarregar nossas baterias.*
Tratado de Yôga, de DeRose

Não é à toa que esta regra é a oitava e última a ser mencionada, pois ela funciona como preceito moderador da prática em geral. A todo momento, deve-se manter a atenção e saber respeitar o limite. Com a própria ampliação da consciência decorrente da prática desenvolvemos essa capacidade de ouvir o nosso próprio corpo que sempre nos avisa quando estamos por ultrapassar o limite do confortável.

Além disso, esta regra tem muito a ver com as nossas raízes e características comportamentais: uma filosofia de linhagem shakta respeita o prazer e valoriza a sensibilidade, também durante a prática!

Um praticante novato eventualmente ainda não consegue distinguir essa fronteira, às vezes sutil, que separa a *dor gostosa* de trabalho muscular do verdadeiro aviso do corpo de que precisamos avançar com mais carinho. Daí a importância de um instrutor formado para orientar, especialmente, esse momento inicial da prática, até o praticante desenvolver a sua autossuficiência.

Esta regra não se refere apenas a uma questão muscular ou articular, mas a tudo dentro da prática. Se, por exemplo, estivermos acoplando um respiratório ritmado ou alguma outra técnica ao ásana e sentirmos que se acelera o batimento cardíaco ou a respiração, será um sinal claro de que precisamos, por hoje, exigir-nos menos. Relembramos que a evolução pessoal nesta filosofia milenar é um processo que não dá pulos: estabeleça a disciplina, dedique-se a cada dia e verá certamente os resultados ao longo das semanas, meses e anos. *Esforce-se sem forçar!*

A prática projeta-se para fora da sala: o ásana no dia a dia

O praticante mais iniciante gosta das técnicas que está aprendendo e envolve-se com a vivência dentro da sala de aula; porém ainda não tem a experiência e o tempo de assimilação suficientes para continuar aplicando o que aprendeu fora dela.

Mas a disciplina na prática dá os seus frutos e um belo dia ele percebe que está movimentando-se pelo mundo de forma mais consciente: ao subir uma escada – mantendo a consciência na respiração; ao fechar uma porta – agora com mais sutileza; ao caminhar pela praia ou pelo parque – utilizando ainda uma respiração ritmada sincronizada com os passos; ao fazer um trekking – e chegar ao topo da montanha vitalizado; ao correr para entrar no metrô – e sentir a musculatura descansada e forte a qualquer momento do dia, sem necessidade de aquecimento.

Essas descobertas tornam-se importantes para estimular o iniciante a continuar se dedicando à prática, certo agora das transformações que estão acontecendo.

Sendo assim, da próxima vez que você sentar na frente do computador para trabalhar, sente-se em ásana; quando estiver em pé na fila do supermercado, permaneça em ásana; ao deitar para dormir, ou descansar... deite-se em ásana. Deixe que a prática, que você faz talvez apenas duas vezes por semana com o seu instrutor, simplesmente se espalhe e cresça no seu dia a dia!

150 INTELIGÊNCIA CORPORAL

êkapáda ardha êkahasta mayúrásana

Prática, treinamento e demonstração

Vamos diferenciar aqui três formas de executar o ásana. Até este ponto, comentamos sobre a técnica orgânica e as suas características; também estudamos as regras gerais, sempre presentes na prática.

Mas, antes de conquistar essa consciência de ásana no contexto da prática, passamos por um estágio de treinamento. Por exemplo, quando queremos realizar uma técnica orgânica que ainda não conquistamos e, ao não conseguir permanecer nela, apelamos de fato à repetição, ao tentarmos, várias vezes, realizar a mesma técnica.[34]

Neste caso de simples treinamento, a consciência de ásana é mais superficial. Revendo o quadro correspondente (veja o capítulo *Características do ásana*) percebemos claramente o foco na primeira das três características: posição estável, confortável e estética. Assim, a princípio não aplicaremos outras técnicas – como bandhas, pránáyámas, etc. – mas nos concentraremos na parte da técnica corporal propriamente dita.

Um treinamento poderá ser também uma sessão intensiva de uma técnica só, por exemplo, mantra[35], ou ásana, ou coreografia, mas não chega a ter a profundidade na técnica como numa prática completa, inclusive pela falta do contexto que dão os outros angas. O objetivo é simplesmente... treinar! É claro que com a ideia de aprimorar-se na técnica e, logo, melhorar a prática.

No caso de uma coreografia de ásanas e mudrás, passamos também por uma fase de treinamento ao executar a sequência de forma repetida com o objetivo de aprimorá-la, analisar os detalhes, definir a movimentação, às vezes,

---

34. Relembremos agora especialmente a regra de repetição (consulte, se for preciso, o capítulo *Regras gerais de execução, Repetição*), que indica a não repetição dos exercícios.

35. Aprenda mais sobre treinamento de mantra no livro *Mantra, vibração infinita*, de Yael Barcesat.

inclusive em frente ao espelho, o que nos permite ver detalhes, porém contribui para retirar a consciência do corpo e dos movimentos, pois o olhar se volta para o espelho.

Sendo assim, o treinamento pode ter o objetivo de melhorar a prática ou uma futura demonstração, sem chegar necessariamente a aplicar todas as regras e características.

Na prática completa, sim, aplicaremos todos os elementos que aprendemos até agora, visando atingir a consciência de ásana: somar as técnicas realizando, além da técnica orgânica, pránáyámas, mentalizações, mudrás, bandhas e outras.

Outra forma de executar-se o ásana é como demonstração. Seja no contexto de uma apresentação de coreografia ou, por exemplo, demonstrando os ásanas na frente de uma turma, o praticante (neste caso, geralmente, instrutor) deverá colocar uma consciência a mais para executar os ásanas de forma impecável, não só praticando com as mentalizações, respiração apropriada, etc., mas também com uma atenção especial à permanência e à estética da técnica.

Desta forma, ao assistir uma demonstração, objetivamente o que vemos são as técnicas (ásanas e mudrás) mas por trás poderemos perceber a prática que está acontecendo, assim como o tempo de prática do demonstrador. É por isso que um apresentador de coreografia com mais experiência e tempo de prática impacta mais, independentemente do nível de adiantamento das técnicas que esteja realizando.

Construa arquétipos, reforce ideias, conquiste ásanas

Todos os nossos projetos começam primeiro no plano mental: elaboramos a ideia nos pensamentos para, apenas depois, a concretizarmos. Isto é um fato, porém, em geral, o que acontece é que não temos consciência disso e ignoramos a influência que a força dos pensamentos pode ter sobre as ações posteriores.

No caminho de ampliação da consciência que o Yôga Antigo proporciona vamos, aos poucos, trabalhando e conscientizando todas as áreas: o corpo físico, o corpo emocional, o mental, etc.[36]

E quanto mais treinarmos a mente na capacidade de desenvolver essas imagens, mais fortes serão os arquétipos criados e, ao levá-los à prática efetiva no plano concreto, essa ideia chegará com muito mais força.

Dentro do acervo de técnicas do SwáSthya, é trabalhada intensamente a mentalização que pode somar-se a qualquer outra técnica que estivermos realizando.

A variação mais avançada

Enquanto permanece num ásana qualquer, mesmo sendo uma variação iniciante, visualize-se já na opção mais avançada: imagine-se conquistando aquela variação que talvez requeira mais força ou alongamento do que tem hoje, mas à qual com certeza, um dia, chegará. Vivencie a permanência *como se já estivesse lá*, sentindo claramente o reforço do arquétipo que está se criando.[37]

36. Aprenda sobre os corpos do homem no capítulo correspondente do *Tratado de Yôga*, do Prof. DeRose.

37. Sobre mentalização no ásana consulte o capítulo *Regras gerais de execução*, *Mentalização*.

O ÁSANA SEM CORPO

Existe uma técnica específica de mentalização denominada *ásana sem corpo*. Consiste em realizarmos a técnica orgânica *apenas nos nossos pensamentos*. Como será trabalhada somente a mentalização, o ideal é realizar este exercício permanecendo numa posição neutra, por exemplo, um shavásana (posição deitada) ou num dhyánásana (posição sentada).

Sente-se ou deite-se confortavelmente. Imagine uma tela em branco; em seguida visualize-se em pé na frente dessa tela. Mentalize que adota aquele ásana que escolheu para treinar hoje. Como não temos limites nos pensamentos, não poupe os detalhes:

· visualize-se com uma roupa de prática apropriada, bonita;

· visualize-se realizando o ásana de forma perfeita (cuide os detalhes e inclusive estenda os pés, os joelhos, a coluna se for o caso, etc);

· imagine que a permanência é realmente confortável: veja-se respirando a vontade, de forma fluida, o ásana firme, o rosto descontraído ou até sorrindo;

· mentalize o seu próprio corpo como quer que ele seja: a musculatura mais definida, com mais flexibilidade, etc, estabelecendo, assim, já esse molde mental;

· realize a variação mais avançada do ásana que escolheu;

· mentalize apenas um ásana; o ideal é trabalhar sempre sobre uma técnica só durante um tempo, para ter mais foco e concentrar a força dos pensamentos.

· atenção: mesmo sendo uma mentalização, ao movimentar-se, respeite a lei de gravidade, ou depois ficará difícil quando for realizar as técnicas na prática...

MENSAGEM AOS PRATICANTES

Chegando quase à conclusão desta obra, vale aqui uma advertência: do acervo desta filosofia ancestral, ásana é a técnica que pode ser demonstrada ao público. Quando apresentamos, por exemplo, coreografias de SwáSthya, enlaçam-se ásanas e mudrás.

Por trás dessa execução, o observador experiente enxerga os anos de prática, de vivência das outras técnicas. Porém, para o leigo, a técnica corporal parece ser o mais impactante.

Pensemos num exemplo de três praticantes: um desenvolveu-se mais nos pránáyámas (técnicas respiratórias) e consegue realizar uma retenção da respiração (kúmbhaka) durante três minutos; outro entrou no estado de intuição linear (dhyána) e nesses mesmos três minutos vivencia horas de conhecimento; e o terceiro permanece um minuto e meio em mahá kákásana e passa direto ao êkahasta mayúrásana[38] para permanecer mais um minuto e meio. Quem chamará mais a atenção do leigo? Quem será aplaudido com mais entusiasmo?

E, com frequência, esses constantes elogios acabam deseducando o ego do praticante que, eventualmente, passa a sentir-se mais virtuoso que os seus colegas.

Frisemos aqui: ásana não é, nem de perto, a técnica mais importante do acervo desta Cultura; apenas é a mais óbvia e a que deixa o praticante mais exposto. Mas essa técnica não é nada sem as outras que a precedem na estrutura da prática ortodoxa (consulte o capítulo *O ásana dentro da prática completa*).

Assim como os grandes Mestres ensinam-nos que os siddhis (paranormalidades) podem distanciar o praticante da meta do Yôga, o excelente desempenho em ásana, às vezes, também distancia o praticante da verdadeira essência da filosofia.

Se você, praticante bem sucedido, está sendo repetidamente elogiado no seu desempenho na técnica orgânica, reflita por um instante e compare a sua execução de uma técnica corporal com a mesma técnica executada por um bailarino clássico, ou um atleta olímpico – profissionais que dedicam o seu

---

38. Técnicas musculares avançadas. Estude-as no capítulo *Categorias de ásana, Musculares*.

tempo integral ao treinamento corporal. Você perceberá, nesse momento, que tem muito ainda por melhorar! Entretanto, lembre-se de que a nossa filosofia visa nos levar ao autoconhecimento e aprimoramento pessoal. Ela não pode ficar resumida a apenas um conjunto de posições!

De qualquer forma, o ásana é mais do que simples desempenho corporal e, para tanto, você precisa se dedicar com afinco às demais técnicas do acervo desta tradição ancestral.

O seguinte texto foi escrito pelo DeRose ao perceber que um dos seus discípulos estava precisando reajustar o seu curso em relação à prática. Leia com carinho e releia de vez em quando!

Advertência aos bons praticantes e a seus instrutores

Texto extraído do **Tratado de Yôga**.

Cai de mais alto aquele que sobe num pedestal.
DeRose

Nossa Universidade de Yôga é conhecida e respeitada em todo o mundo, entre outras razões, pelos exímios praticantes que produz. Embora incentivemos o superlativo aprimoramento nos ásanas, cabe aqui uma seriíssima advertência.

A excelência técnica pode desenvolver em alguns praticantes um distúrbio de hipertrofia do ego. Tal moléstia faz eclodir uma absurda arrogância que compromete o relacionamento com seu Mestre e com os companheiros. Contudo, isso só ocorre se o estudante já for portador de uma falha psicológica nessa área e jamais nas pessoas emocionalmente equilibradas.

Pelo fato de perceber que executa melhor do que a maioria dos seus colegas, o yôgin deixa-se embalar pela vaidade e num dado momento, pensa que é superior. Ele se esquece de que Yôga não é ásana e de que a boa performance corporal constitui apenas uma das etapas mais rudimentares na senda.

Ásana, por ser orgânico, restringe-se a uma conquista muito limitada nesta grande jornada. Infinitamente mais difícil é cultivar a humildade e a lealdade com relação ao seu Mestre.

Geralmente, é entre os excelentes praticantes de ásanas que surgem os indiscípulos, orgulhosos e petulantes, que traem seus instrutores e renegam sua vertente de Yôga.

Que esta advertência possa atuar como uma vacina, uma medida preventiva, que salve você daquela hedionda enfermidade a qual vem ceifando tantos promissores yôgins, condenando-os à execração, bloqueando sua evolução pessoal e impedindo qualquer progresso verdadeiro.

Ao instrutor, quero deixar uma recomendação categórica: não paparique o bom praticante. Incentive-o, mas não o estrague com atenções excessivas, elogios e concessões. Ele precisa conscientizar que o melhor discípulo é o mais leal e disciplinado, que acate com amor e humildade as determinações ou repreendas do seu instrutor. Muito mais, as do seu Mestre. Mais ainda, as do Mestre do seu Mestre!

A SELEÇÃO DAS TÉCNICAS ORGÂNICAS PARA A PROVA DE AULA NA FEDERAÇÃO

Capítulo orientado aos Instrutores e alunos em formação.
Recomendamos que primeiro sejam relidas as regras gerais de execução
e os critérios de balanceamento das técnicas em capítulos anteriores.

Nos exames que acontecem todo ano nas Federações de Yôga dos Estados, o Instrutor (ou candidato a Instrutor) deverá apresentar, entre outros requisitos, uma aula completa de SwáSthya, em oito partes, em exatamente 20 minutos.

Serão avaliados a estrutura da prática, a administração do tempo, o desenvolvimento e o carisma do ministrante, sua liderança da turma, as técnicas ministradas, as variações para iniciantes e avançados, as correções feitas e até a música e o clima emocional, entre outras coisas.

Logo, cada detalhe da prática será previamente planejado e treinado, para sair da melhor forma possível na hora do exame.

Apresentamos aqui uma série de dicas para facilitar a montagem correta do anga ásana para o seu exame:

1) Determine primeiro as técnicas que ministrará – lembre-se de que a prática deve estar balanceada.

> - Seguindo um dos critérios de balanceamento da prática já explicados, deverá começar com os ásanas em pé, continuar sentado, depois deitado e finalmente invertido.

> - Respeitando também o outro critério (ambos cruzam-se) escolha uma técnica de equilíbrio, uma de flexão lateral, outra de anteflexão, uma de retroflexão e também uma de torção, além da invertida.

> - Cada uma dessas técnicas deverá ser de apenas uma categoria. Por exemplo, para o equilíbrio escolha um no qual a coluna esteja estendida, sem acrescentar nenhuma flexão nem torção. Dessa forma, cada ásana encaixa-se apenas numa categoria, permitindo uma boa avalia-

ção da aula e do conhecimento do ministrante.

- Para a técnica de anteflexão, escolha um ásana com ao menos uma perna estendida, possibilitando um trabalho mais completo.

- Incremente mudrás (gestos) nos ásanas e passagens em que for possível.

- Para cada ásana, pense nas variações que orientará: aos mais e menos flexíveis, aos mais e menos fortes, aos mais e menos adiantados.

- Pense também nas técnicas que associará segundo o grau do praticante: terá uma respiração específica? Com ritmo? Terá mentalizações? Visualizações sobre os chakras? Haverá utilização de manasika mantra? E bandhas?

- Além disso, o anga deverá ser enriquecido com teoria: defina em que momento ensinará as regras gerais de execução, as características do ásana e outros elementos que estimulem o aluno a estudar e aprofundar-se na filosofia.

2) Uma vez definida a estrutura, aprove-a com o seu instrutor.

3) Em seguida, escreva o texto descritivo do anga – aquele texto que será estudado e treinado para reproduzir na hora do exame – e aprove-o com o seu instrutor. O texto será a própria fala do ministrante, portanto descreva cada técnica, cada passagem, etc.

4) Escolha uma música para este anga (sempre sem letra nem vocalizações). Busque uma em acordo com as nossas raízes. Evite o estilo étnico, salvo que seja indiano.

5) Após a sequência balanceada de ásanas, seguirá a improvisação de uma coreografia de um minuto – a prática livre em formato de coreografia é fundamental para o desenvolvimento pessoal do praticante, aumento da criatividade e da sutileza.

- A coreografia faz parte do anga ásana.

- No caso do exame, ela terá apenas um minuto.

- É ideal que o instrutor improvise uma sequência para ser acompanhado pelos alunos mais iniciantes.

- Os antigos serão estimulados a improvisar.

- Esta coreografia terá uma música específica, diferente da que foi utilizada durante o anga, que tenha início e fim e que estimule a desenvolver a sequência – selecione-a também!

- Caso o instrutor não seja tão experiente na improvisação, poderá montar previamente uma sequência de técnicas simples que dure um minuto e realizá-la na hora do exame.

6) Comece o treinamento: ministre o anga – mesmo que não tenha alunos ainda. Quantos instrutores não ministram as primeiras aulas apenas para almofadas e bichos de pelúcia simulando alunos! Ensine as técnicas com as descrições completas. Veja a duração do tempo e controle sempre com o cronômetro.

7) Ajuste o texto e treine até ficar entre 6 e 8 minutos de duração para o anga completo – a prática tem, no total, 20 minutos; distribuindo os feixes de técnicas numa prática bem proporcionada, essa é a duração ideal do anga ásana.

8) Estes são os itens avaliados pela banca examinadora:

Ásana: ensinou técnicas pertencentes à nossa codificação?

a. A sequência de ásanas respeitou os dois critérios de balanceamento?

b. As passagens foram bem exploradas, respeitando a maneira característica de execução do nosso Método com as técnicas encadeadas (coreografia)? Os praticantes compreenderam e foram cativados por esse conceito?

c. Ao ministrar as técnicas orgânicas, ensinou as regras gerais de execução, de forma que o aluno fosse estimulado a desenvolver a sua autossuficiência na prática?

d. Mencionou os nomes dos ásanas escolhidos?

e. Ministrou uma sequência dinâmica, forte, estimulando o aluno a autossuperar-se?

f. Fez demonstrações convincentes e no ângulo didático?

êkahasta êkapáda parshwa kákásana • pataka mudrá

Chegamos ao fim...

Este livro é a síntese do conhecimento que recebemos ao longo da vida, dos nossos professores, da família, dos amigos e colegas, somado às experiências vividas e a como esses ensinamentos traduzem-se e aplicam-se no dia a dia.

Assim sendo, o nosso entorno torna-se determinante: o nosso lar, o cantinho de trabalho, o ambiente propício à inspiração... ambiente constituído também pelos amigos e pessoas queridas que nos rodeiam. O seu estímulo cotidiano, suas ideias e aportes, suas críticas e correções, seu apoio, paciência e carinho, possibilitaram o nascimento e crescimento desta obra.

Seja em casa ou numa pousada gostosa; sozinha ou acompanhada, submersa talvez no mundo virtual que nos proporciona a troca instantânea de e-mail; no Rio, em Buenos Aires, ou em qualquer lugar do mundo, tenho guardados nas lembranças cada momento, cada comentário, cada dica que gerou um novo parágrafo, ou uma nova página.

Imprescindível torna-se a disciplina de sentar-se para escrever; o condicionamento de abrir o arquivo do futuro livro e alimentá-lo a cada dia!

E portanto... não terminamos aqui! Novas ideias, novas experiências chegarão. Entre em contato comigo para encaminhar sugestões, dúvidas ou simplesmente para... entrar em contato! E aguarde as próximas edições desta obra.

Com carinho,

Melina Flores
Professora do Método DeRose
Diretora da Unidade Copacabana
melina.flores@metododerose.org

parshwa êkapáda êkahastásana • súchi mudrá

GLOSSÁRIO DE SÂNSCRITO

Este glossário foi estruturado a partir de trechos dos livros *Tratado de Yôga* de DeRose e *Léxico de Yôga Antigo* de Lucila Silva, com o objetivo de facilitar a consulta dos termos sânscritos nesta obra.

ádi. Fundamental, primeiro.

anga. Parte, membro, etapa. Na prática regular de SwáSthya Yôga, é como se denominam as oito partes ou oito feixes de técnicas que constituem o ashtánga sádhana (mudrá, pújá, mantra, pránáyáma, kriyá, ásana, yôganidrá, samyama).

angushtha. Dedo maior do pé.

ardha. Metade; variação incompleta de um ásana.

ásana. Posição ou técnica corporal do Yôga, complementada por uma atitude interior, localização da consciência e mentalização, respiração específica e ritmo. Não pode ser confundida com nenhum tipo de ginástica, nem pertence ao domínio da Educação Física.

baddha. Ligado, condicionado. Utiliza-se esse prefixo geralmente quando o ásana tem um ou os dois braços enlaçando as costas ou um membro inferior.

banchê. Bambu.

bandha. Fecho, contração ou compressão de plexos e glândulas.

bhadra. Virtuoso, puro, prudente, excelente, sábio. Prefixo que designa os ásanas em que as plantas dos pés estão juntas.

bhastriká. Fole. É o nome de um respiratório acelerado, ótimo para hiperventilar.

bháva. Sentimento; outro nome de Shiva.

bhêga. Rã.

bhuja. Braço.

bhujanga. Naja. Esta palavra é traduzida universalmente em países de língua portuguesa como "cobra". Trata-se de um equívoco perpetrado pelos primeiros tradutores e que se perenizou. O termo cobra ("côbra") em inglês ou espanhol, designa a naja.

chakra. Roda, círculo; centros de força situados em todo o corpo humano e especialmente ao longo da coluna vertebral, onde se encontram os sete principais.

chandra. Lua; curvo como meia lua.

chatuspáda. Sobre quatro apoios.

chêla. Discípulo.

dakshinah. Para o lado direito.

dhanura. Arco.

dháraná. Concentração.

dhyána. Meditação.

dôla. Balanço.

drishti. Observar, olhar, vista, conhecimento; tipo de trátaka, grupo de exercícios de fixação ocular.

dwa ou **dva.** Dois.

dwahasta. Com as duas mãos.

dwapáda. Sobre dois pés.

êka. Um.

êkahasta. Com uma só mão.

êkapáda. Sobre um só pé.

gáruda. Águia. Ave gigantesca mencionada no Rámáyána e que serve de montaria a Vishnu.

gô. Vaca.

gôkarna. Orelha de vaca.

gômukha. Cara de vaca.

hala. Arado.

hamsa. Cisne. Símbolo associado a Brahma.

Hanuman. O deus-mono do Rámáyána, general do exército de Ráma.

hasta. Mão.

hastina. Elefante.

jalándhara. Nome do bandha da tireóide.

jánur. Joelho.

káka. Corvo.

kámala. Lótus (outro nome: padma).

kapála. Crânio.

kapôta. Pombo.

karaní. Corpo.

kôna. Ângulo.

kriyá. Atividade, purificação. Nome de certa classe de exercícios de limpeza dos órgãos internos; nome de um ramo do Yôga.

kukkuta. Galo.

kúmbhaka. Recipiente. Retenção do alento, com ar nos pulmões. Nome genérico dos respiratórios ritmados.

kundaliní. Serpentina, enroscada. É termo feminino por ser o Poder Ígneo, de natureza feminina, isto é, de polaridade negativa. Kundaliní é uma energia física, de natureza neurológica e manifestação sexual. Deve ser escrito com acento no último í e pronunciado sempre com a última sílaba longa.

kúrma. Tartaruga.

lôla. Fricção ou balanço.

mahá. Grande, variação mais avançada de um ásana.

makara. Crocodilo.

mantra. Vocalização de uma letra, sílaba, palavra, frase ou texto, com ou sem notas musicais, cujo potencial vibratório produz determinados efeitos em um ou mais planos do Universo, dentro e fora do ser humano.

matsya. Peixe.

matsyêndra. Torção. Rei dos peixes (tradução figurada). Termo criado pela fusão de matsya, peixe, com Indra, nome de uma divindade ariana; nome que tomou o peixe que observara Shiva ensinando Yôga, pusera em prática tais técnicas e evoluíra até tornar-se um ser humano. Nome adotado mais tarde, no século XI, por Matsyêndra Natha, fundador da escola Kaula, de Tantra. Dessa linhagem surgiu o Mestre Gôraksha Natha, que foi quem fundou o Hatha Yôga.

mayúra. Pavão, símbolo de Krishna.

Mêru. O monte sagrado que representa o centro do mundo.

mêrudanda. Nome dado à coluna vertebral (Uttar Gítá, 11,13,14).

mudrá. Gesto ou selo. São gestos reflexológicos e magnéticos feitos com as mãos e dedos. Em alguns tipos de Yôga, admite-se que possam ser feitos mudrás com o corpo. No SwáSthya Yôga, as técnicas feitas com o corpo denominam-se sempre ásana, e com as mãos, mudrá.

múla. Raiz. Região da base da coluna vertebral, próxima aos órgãos excretores.

múla bandha. Contração dos esfíncteres do ânus e da uretra.

naságra. Nasal.

Natarája. Rei dos bailarinos. Uma das formas de Shiva. O nome do ásana que faz alusão a esse aspecto de Shiva.

natasíra. Nata: bailarino; síra, cabeça (variação de síra, shírsh, ou shírsha).

páda. Pata, pé; passo, senda. Capítulo de um livro.

padma. Lótus (outro nome: kámala). Outra palavra para designar os chakras. Padmásana: nome da posição sentada de meditação, com as pernas firmemente cruzadas.

pádôtthita. Soerguimento do corpo num só pé.

parshwa. Próximo; flanco. Prefixo que indica flexão lateral.

párvata. Montanha.

paschimôttána. Distensão posterior.

pránáyáma. Expansão da bioenergia. Designa as técnicas respiratórias. Constitui o quarto passo do Yôga de Pátañjali e também o quarto passo do ády ashtánga sádhana (primeira prática de iniciantes) no SwáSthya Yôga.

prasárana. 1. Extensão. **2.** Da nome a um ásana de abertura pélvica, bem como a outras variações de técnicas orgânicas.

prishtha. Retorcido.

purána. Primordial, antiguidade. Nome de um tipo de escritura hindu. Nome de um ásana do Yôga.

púrna. Pleno, cheio, integral. Torção em pé.

rája. Rei, real. Variação completa de um ásana.

rajas. Movimento, atividade, dinamismo.

sádhaka. Praticante.

sádhana. Prática, ritual.

samádhi. Hiperconsciência, estado de graça, identificação com o Absoluto. É o oitavo e último passo do Yôga de Pátañjali. Está compreendido no samyama, oitavo anga do ády ashtánga sádhana do SwáSthya Yôga.

samána. Um dos cinco pránas, situado na região gástrica.

sarvánga. Sarva: tudo; anga: parte. Invertida sobre os ombros.

shaktí. Energia, força. Por extensão, esposa ou companheira no sádhana tântrico. É também um nome ou qualidade da Mãe Divina e, consequentemente, designa também a Kundaliní.

shalabha. Gafanhoto. Em livros mal traduzidos do espanhol, encontra-se uma confusão de significado já que a palavra langosta significa tanto lagosta quanto gafanhoto.

shava. Cadáver. Prefixo dos ásanas utilizados para a descontração.

Shiva. Nome do criador do Yôga. Significa: o auspicioso, o prospicioso, o benigno, o benevolente, etc. Representa o Terceiro Aspecto da Trimurti hindu. Seu atributo é a renovação. Alguns atribuem-lhe a destruição, já que para renovar é preciso destruir o que está ultrapassado.

shúnyaka. Retenção do alento sem ar; uma fase do pránáyáma.

siddha. O perfeito, aquele que possui os poderes.

siddhi. O poder paranormal.

simha. Leão.

síra, shíra, shírsh, shírsha. Cabeça.

sírahasta. Com as mãos à cabeça.

sírángushtha. Com a cabeça tocando o dedo maior do pé (angushtha).

sukha. Fácil, agradável (em relaxamento).

supta. Adormecido; por extensão, deitado ou de olhos fechados.

súrya. Sol.

swa. Seu próprio.

swásana. Seu próprio ásana, o melhor ásana para a pessoa que o está fazendo; estar bem sentado.

swáSthya. Autossuficiência, saúde do corpo e da mente, bem-estar, conforto, satisfação, etc. Em hindi, significa simplesmente saúde.

swástika. Auspicioso. É também o nome da cruz gamada, antigo símbolo hindu.

tala. Palmeira.

tamas. Inércia, imobilidade.

tri. Três.

trikôna. Triângulo. Pernas em triângulo.

tripáda. Sobre três apoios.

trishúla. **1.** Tridente. **2.** Arma de guerra símbolo de Shiva. Suas três pontas representam, na mitologia, os três gunas: tamas, rajas e sattwa. **3.** Dá nome a um ásana de equilíbrio em pé.

udara. Abdômen. Prefixo do shavásana frontal.

upadana. Causa material em contraposição a Naimitika, causa eficiente. Por extensão pode significar afeto, amor, apego.

upavishta. Sentado.

úrdhwa. Alto, elevado, ereto. Em se tratando de ásanas, diz-se dos que têm o corpo (geralmente todo) elevado ou suspenso.

úrdhwásana. Passagem de ásana sentado para ásana em pé. Ato de levantar.

ushtra. Camelo.

utka. Agachado, de cócoras.

uttána. 1. A parte superior. 2. Reto, teso, esticado. 3. Designa variações de ásana em que o corpo ou parte dele está estendido.

uttara. Suplementar, acima; posterior; prefixo do shavásana dorsal.

utthita. Suspenso, elevado.

vajra. Bastão, raio, diamante. No caso do vajrásana, significa bastão, pois refere-se à posição da coluna vertebral que nesse ásana recebe um estímulo para manter-se espontaneamente bem ereta. Portanto, não é correto traduzir o vajrásana como "postura adamantina". No caso da arte marcial Vajra Mushti passa a ser raio: soco (rápido) como um raio. E no caso do budismo, diamante: Vajrayana, a trilha do diamante.

vakra. Curvo, tortuoso. Em ásana, diz-se dos de torção.

vamah. Para o lado esquerdo.

váyu. Vento, ar. Em geral, diz-se dos yôgins fúteis e o Mestre confere esse nome aos discípulos inconstantes como o vento, aqueles que não conseguem seguir uma disciplina ou cumprir a tradição dos antigos.

viparíta. Invertido, oposto, diferente.

víra. Herói.

vriksha. Árvore.

vrishka. Escorpião.

Yôga. União, no sentido de integração. Essa é a tradução universalmente aceita para a filosofia do Yôga. Pode significar também: equipe, veículo, transmissão, equipamento de um soldado, uso, aplicação, remédio, meio, expediente, maneira, método, meios paranormais, empreendimento, aquisição, ganho, proveito, riqueza, propriedade, ocasião, oportunidade, etc. Esta é a sua definição formal: Yôga é qualquer metodologia estritamente prática que conduza ao samádhi.

yôgi. Referente ao Yôga. Aplicável também ao yôgin que já está identificado e dissolvido na filosofia do Yôga mediante a prática e dedicação exclusiva por um expressivo número de anos. O que atingiu o samádhi.

yôgin. O praticante de Yôga.

yôginí. A praticante de Yôga.

ANEXO

Esta é uma divisão suplementar, que não faz parte do livro,
destinada à divulgação do SwáSthya Yôga.

Como contribuir com a nossa Obra

Veja quais das opções abaixo se enquadram nas suas possibilidades.

1) Organize mostras de vídeo, palestras e cursos na sua cidade, em universidades, associações, bibliotecas, colégios, clubes, livrarias, entidades filosóficas. Isso não lhe custará nada e ainda poderá proporcionar muita satisfação.

2) Torne-se instrutor do Método DeRose e ajude a difundir o autoconhecimento, a qualidade de vida, a alegria e a saúde. Você pode iniciar a sua formação aí mesmo na sua cidade através dos nossos livros, CDs, vídeos e aulas pela Internet.

3) Filie-se à União Nacional de Yôga em alguma das diversas categorias. Informe-se para saber qual delas oferece a melhor relação custo/benefício para as suas expectativas.

4) Outra forma de contribuir é adquirindo o material didático relacionado nas páginas que se seguem.

Qualquer que seja a sua escolha, saiba que terá uma legião de pessoas beneficiadas com seu gesto.

DeRose
www.Uni-Yoga.org/blogdoderose

O brasão da União Nacional de Yôga e da Universidade de Yôga

O brasão institucional da Universidade de Yôga é uma divisa perfeita, verdadeira, inquirente e falante, constituída por um escudo inglês, com divisão em perle obtida pelas três mãos unidas, representando à união entre os adeptos desta filosofia. A partição do escudo em perle sugere o Y da palavra Yôga. Três mãos são representadas em ouro sobre o blau do campo do escudo, fazendo referência à expressão lusitana "ouro sobre azul", sinalizando excelência. Acima do escudo, uma flor de lótus dourada, coroada pela sílaba ÔM, sânscrito em caracteres dêvanágarí, que paira soberana, evocando a pureza e ao mesmo tempo estabelecendo um vínculo com a Índia, berço do Yôga. Por trás do escudo, em atitude de proteção, cruzam-se dois trishúlas, armas de guerra da Índia antiga, com as lâminas em prata, armas essas que constituem um dos símbolos de Shiva, o criador do Yôga. Atado a cada trishúla, encontra-se pendendo um damarú, tambor de duas faces, também presente nas esculturas de Shiva Natarája, com o qual Shiva marca o ritmo do universo e dança sob esse ritmo. Abaixo do escudo, cobrindo a empunhadura de madeira dos trishúlas, está a filactera prata com a sigla da instituição: Uni-Yôga.

Vocabulário heráldico:
Divisa – emblema, insignia ou distintivo.
Perfeita – é toda divisa que possui corpo e alma, isto é, uma representação iconográfica e uma legenda.
Verdadeira – usa-se essa expressão quando a divisa ou o brasão possui sentido metafísico.
Inquirente – é aquela que tem a finalidade de obrigar o observador a inquirir.
Falante – é quando o significado está evidente e cuja interpretação não se restringe à heráldica.
Perle – divisão do campo em Y.
Blau – esmalte azul.
Filactera (ou listel) – faixa ou fita de pergaminho onde se encontra escrita a legenda.

Material didático disponível nas escolas e associações filiadas ao Método DeRose

Download gratuito

Você pode estudar em vários destes livros sem ter que comprá-los. Basta entrar no site www.DeRose.org.br e fazer *free download* de mais de dez dos títulos abaixo, inclusive alguns noutras línguas. Nosso escopo ao escrever livros e ao manter um *website* é permitir a todos o acesso a esta cultura sem custo algum. Ao contrário da maioria dos *sites* de Yôga, o site DeRose não vende nada porque fazemos questão de que o nosso trabalho não seja comercial.

Livros do Mestre DeRose

TRATADO DE YÔGA (Yôga Shástra): Um clássico. Foi citado por Georg Feuer-stein em seus livros: *The Deeper Dimension of Yoga* e *The Yoga Tradition* quando ainda estava publicado em sua versão menor, de 700 páginas, com o título *Yôga Avanzado* (em espanhol) e *Faça Yôga antes que você precise* (em português). É considerada uma obra canônica, a mais completa do mundo em toda a História do Yôga, com 948 páginas e mais de 2000 fotografias. Contém 32 mantras em sânscrito, 108 mudrás do Hinduísmo (gestos reflexológicos) com suas ilustrações, 27 kriyás clássicos (atividades de purificação das mucosas), 52 exercícios de concentração e meditação, 58 pránáyámas tradicionais (exercícios respiratórios) e 2100 ásanas (técnicas corporais). Apresenta capítulos sobre karma, kundaliní (as paranormalidades) e samádhi (o autoconhecimento). Oferece ainda um capítulo sobre alimentação e outro de orientação para o dia a dia do praticante de Yôga (como despertar, a meditação matinal, o banho, o desjejum, o trabalho diário etc.). É o único livro que possui uma nota no final dos principais capítulos com instruções e dicas especialmente dirigidas aos instrutores de Yôga. Indica uma bibliografia confiável, mostra como identificar os bons livros e ensina a estudá-los.

QUANDO É PRECISO SER FORTE: Este livro, profusamente ilustrado com dezenas de fotos, constitui leitura fácil e agradável para todos os públicos. Ele ensina, esclarece e diverte com crônicas, casos reais, história, filosofia, ética, romance e mais um universo de conhecimentos. Nele, você vai rir bastante ao ler os episódios de um refinado senso de humor e vai chorar também, enquanto acompanha a saga do autor na luta pelo reconhecimento do seu trabalho. Existe amor nesta publicação.

O amor de um homem por uma Filosofia e sua certeza de que contribuiu para que ela fosse respeitada.

YÔGA SÚTRA DE PÁTAÑJALI: A obra clássica mais traduzida e comentada no mundo inteiro. Recomendável para estudiosos que queiram ampliar sua cultura em 360 graus. Depois de 20 anos de viagens à Índia, o Mestre DeRose revisou e aumentou seu livro publicado inicialmente em 1980. Sendo uma obra erudita, todo estudioso de Yôga deve possuí-lo. É indispensável para compreender o Yôga Clássico e todas as demais modalidades.

MENSAGENS: Este é um livro que reúne as mensagens mais inspiradas que foram escritas pelo Mestre DeRose em momentos de enlevo durante sua trajetória como preceptor e mentor desta filosofia iniciática. Aqui compilamos todas elas para que os admiradores dessa modalidade de ensinamento possam deleitar-se com a força do verbo. É interessante como o coração realmente fala mais alto. DeRose tem mais de vinte livros publicados e leciona Yôga desde 1960. No entanto, muita gente só compreendeu o ensinamento do Mestre DeRose quando leu suas mensagens. Elas têm o poder de catalisar a força interior de quem as lê e desencadear um processo de modificação do karma através da potencialização da **vontade** e do **amor**. Disponível também em gravação na voz do próprio autor.

PROGRAMA DO CURSO BÁSICO: Contém todo o programa do *Seminário de Preparação ao Curso de Formação de Instrutores*. Esse curso pode ser feito por qualquer pessoa que queira conhecer esta filosofia mais profundamente e é especialmente recomendado aos que já lecionam ou pretendam lecionar. Também disponível em vídeo.

BOAS MANEIRAS: Bons modos são fundamentais para todos. Nós que não comemos carnes, não tomamos vinho e não fumamos, como deveremos nos comportar num jantar, numa recepção, numa visita ou quando formos hospedados? Você já está educado o bastante para representar bem a Nossa Cultura? E, refinado o suficiente para ser instrutor ou Diretor de Entidade? Qual a relação entre Mestre e Discípulo? Algumas curiosidades da etiqueta hindu. Nosso Código de Ética.

EU ME LEMBRO...: Poesia, romance, filosofia. Como o autor muito bem colocou no Prefácio, este livro não tem a pretensão de relatar fatos reais ou percepções de outras existências. Ele preferiu rotular a obra como ficção, a fim de reduzir o atrito com o bom-senso, já que há coisas que não se podem explicar. No entanto, é uma possibilidade no mínimo curiosa, que DeRose assim o tenha feito pelo seu proverbial cuidado em não estimular misticismo nos seus leitores, mas que se trate de lembranças de eventos verídicos do período dravídico, guardados no mais profundo do inconsciente coletivo.

ALTERNATIVAS DE RELACIONAMENTO AFETIVO: O intuito deste ensaio é fornecer dados e informações para que cada qual decida o que é melhor para si e mostrar que a forma convencional não é, necessariamente, a melhor maneira de realizarmos algo. A grande contribuição que o livro oferece é a de fazer com que as pessoas sejam mais felizes a partir da descoberta de que não deve haver uma única forma de relacionamento afetivo e sim de que cada ser humano deve ser livre para viver como quiser, desde que isso não prejudique ninguém.

VIAGENS À ÍNDIA DOS YÔGIS: Relatos e fotos de vinte e quatro anos de viagens do Mestre DeRose àquele país, para nós, tão misterioso. O país mais invadido da História, suas montanhas geladas, seus desertos escaldantes, seus yôgis, sua comida, suas ruínas, seus mosteiros, seu povo com tantas religiões e etnias. A sabedoria oriental, as paranormalidades, os homens santos e os mágicos de rua.

A REGULAMENTAÇÃO DOS PROFISSIONAIS DE YÔGA: Este livro reúne a história da luta pela regulamentação da nossa categoria, desde 1978, quando DeRose apresentou a primeira proposta. Contém documentos úteis para a proteção dos profissionais da área, o texto e as emendas do projeto de Lei, relatórios das reuniões com as opiniões e o registro histórico das reações das pessoas a favor ou contra a regulamentação, o depoimento das consequências se o Yôga for encampado pela Ed. Física, a fogueira das vaidades dos "professores" de "yóga", relatos dramáticos e outros hilariantes dessa campanha.

ENCONTRO COM O MESTRE: Esta ficção relata a surrealista experiência do encontro entre o jovem DeRose, com 18 anos de idade e o veterano DeRose com 58 anos. O jovem candidata-se à prática do SwáSthya Yôga e é recusado pelo velho Mestre. O que resulta daí é um diálogo com debates filosóficos, éticos e iniciáticos, envolvendo temas como: o vil metal, a reencarnação, o espiritualismo, o radicalismo, a meditação, o sexo, a multiplicidade de mestres e escolas pelas quais o menino passara etc. O final apresenta uma surpresa inusitada que a maioria não vai notar, mas os que tiverem estudado os demais livros vão descobrir... se prestarem muita atenção!

SÚTRAS – MÁXIMAS DE LUCIDEZ E ÊXTASE: É um belo presente. Um livro lindo, com capa dura, papel couché, todas as páginas artisticamente ilustradas em quatro cores. O objeto livro é tão bonito que quase nos esquecemos de que o principal é o ensinamento contido nos pensamentos que ele expõe. Alguns são sérios, outros são engraçados; uns são cáusticos, outros doces; uns são leves e outros filosoficamente muito profundos; alguns deles só poderão ser compreendidos no seu sentido hermético se forem lidos por pessoas com iniciação. Antes de publicar a obra, o único exemplar que existia era usado pelo próprio autor como conselheiro para o dia a dia. Ele se concentrava sobre uma questão que desejasse consultar, e abria o livro numa página aleatoriamente. Lia e meditava sobre o pensamento e sua relação com a questão. Muitas vezes o resultado era surpreendente.

ALIMENTAÇÃO VEGETARIANA – CHEGA DE ABOBRINHA!: A maior parte dos livros sobre vegetarianismo peca por preocupar-se em demonstrar que a alimentação vegetariana é nutritiva e até curativa, mas relega o sabor a um sétimo subplano do baixo astral. Este livro não quer provar que você pode sobreviver sendo vegetariano, pois as evidências estão aí: um bilhão de hindus, todos os cristãos adventistas do mundo e todos os praticantes de SwáSthya Yôga (hoje, já há mais de um milhão só no Brasil). O livro apresenta unicamente receitas de-li-ci-o-sas, para você adotar o vegetarianismo sem que a sua família nem sequer perceba que os pratos não têm carne e, ainda, incrementando muito o paladar, o refinamento e a sofisticação culinária.

ORIGENS DO YÔGA ANTIGO: Uma luz sobre os eventos históricos que influenciaram as metamorfoses do Yôga, abordando: Ásana Yôga, Rája Yôga, Bhakti Yôga,

Karma Yôga, Jñána Yôga, Layá Yôga, Mantra Yôga, Tantra Yôga, Kundaliní Yôga, Ashtánga Yôga e outros.

KARMA E DHARMA – TRANSFORME A SUA VIDA: Ensinamentos revolucionários sobre como comandar o seu destino, saúde, felicidade e finanças.

CHAKRAS, KUNDALINÍ E PODERES PARANORMAIS: Revelações inéditas sobre os centros de força do corpo e sobre o despertamento do poder interno.

MEDITAÇÃO E AUTOCONHECIMENTO: A verdade desvendada a respeito dessa técnica adotada por milhões de pessoas no Ocidente e por mais de um bilhão no Oriente.

CORPOS DO HOMEM E PLANOS DO UNIVERSO: A estrutura dos veículos sutis que o ser humano utiliza para se manifestar nas diversas dimensões da Natureza.

COLEÇÃO POCKET

TUDO O QUE VOCÊ NUNCA QUIS SABER SOBRE YÔGA: O título bem humorado sugere a leveza da leitura. Estruturada em perguntas e respostas, esclarecendo: o que é o Yôga, para que serve, qual a sua pronúncia correta, qual sua origem, qual a proposta original, quando surgiu, onde surgiu, a quem se destina? Há alguma restrição alimentar ou da sexualidade? Yôga será uma espécie de ginástica, terapia, religião, dança, luta, arranjo floral? Tudo sobre Yôga orienta inclusive para a formação de instrutores de Yôga.

YÔGA A SÉRIO: Esclarecimentos de ordem teórica, prática, ética, filosófica e pedagógica sobre o Yôga Antigo. Este livro discorre sobre a verdadeira proposta de um trabalho de Yôga com seriedade, fornecendo dados inestimáveis para proteger o consumidor que fica desorientado com tantas informações contraditórias a respeito desta modalidade, SwáSthya, a sistematização do Yôga Pré-Clássico. Proporciona também esclarecimentos sobre várias técnicas e diversos outros tipos de Yôga (Ásana Yôga, Rája Yôga, Bhakti Yôga, Karma Yôga, Jñána Yôga, Layá Yôga, Mantra Yôga, Tantra Yôga, Kundaliní Yôga, Siddha Yôga, Hatha Yôga e outros).

ZEN NOÇÃO: Quem pratica o Método DeRose não é "zen". Este livro informa e esclarece o leitor e tem a proposta de demolir preconceitos, pois eles são sempre fruto da ignorância. É ideal para que o praticante de qualquer linha de Yôga o presenteie aos seus amigos e parentes a fim de que deixem de manifestar atitudes discriminatórias ou observações estereotipadas e equivocadas.

PRÁTICA BÁSICA DE YÔGA (PARA INICIANTES): Tendo já conhecido o conteúdo dos livros anteriores (nos. 1, 2 e 3, acima), está na hora de praticar. O leitor vai encontrar neste livro 84 técnicas, entre respiratórios, procedimentos corporais, relaxamento, meditação, mantra etc., tudo já montado na forma de uma aula completa e equilibrada. A prática é muito fácil de ser seguida por iniciantes sem nenhuma experiência, desde que estejam com a saúde perfeita. Várias ilustrações auxiliam o praticante para a compreensão da técnica descrita. Se o leitor desejar uma orientação melhor, pode adquirir o CD ou o DVD com a gravação que ensina a mesma Prática Básica contida no pocket book.

Melina Flores

A SÍNTESE DO SWÁSTHYA YÔGA: Este pocket book é um resumo do *Tratado de Yôga*, a obra mais completa já publicada sobre o tema. Neste pequeno livro o autor conseguiu concentrar a quintessência do SwáSthya.

YÔGA TEM ACENTO: Documentação que prova a existência do acento na palavra Yôga em seu original sânscrito, desde sua escrita original em alfabeto dêvanágarí.

A MEDALHA DO O ÔM – O MANTRA MAIS PODEROSO DO MUNDO: As várias formas de pronunciar o mantra que deu origem a todos os demais mantras, e como evitar erros perniciosos. Explicações sobre o ÔM e a medalha, histórico, escrita sânscrita e outros ensinamentos.

Livros recomendados de outros autores

YÔGA, SÁMKHYA E TANTRA (Sérgio Santos): ilustrado com vários quadros sinóticos, é prefaciado e recomendado pelo Mestre DeRose como um livro extremamente sério, profundo e honesto, que destrincha e explana com linguagem simples questões até então muito complexas ou controvertidas. A obra é a tese de Mestrado do autor e, por isso mesmo, severamente fundamentada sobre citações das escrituras hindus (os Vêdas, os Tantras, as Upanishades, o Gítá, o Yôga Sútra, o Mahá Bhárata) bem como de livros célebres das maiores autoridades da Índia e da Europa nos últimos séculos (Sivánanda, John Woodroffe, Mircéa Éliade, Tara Michaël) sobre Yôga, Sámkhya, Tantra, História, Arqueologia, Antropologia etc.

A FORÇA DA GRATIDÃO – PÚJÁ (Sérgio Santos): Trata-se do primeiro livro escrito em português a respeito de pújá. O autor ensina e esclarece sobre esse procedimento tradicional do hinduismo que é tão importante para a prática de um Yôga autêntico e, ao mesmo tempo, tão pouco conhecido no Ocidente.

O GOURMET VEGETARIANO (Rosângela de Castro): Trata de alimentação refinada. Além das receitas, fornece dados importantes sobre nutrição, assimilação e excreção. Como todos os nossos livros, este também não é sectário e não quer convencer ninguém de que a alimentação vegetariana é a melhor. Simplesmente, fornece dados e receitas aos que aspiram por uma nutrição ultra-biológica, sadia e deliciosa. Contém um guia sobre vitaminas e sais minerais. Praticantes de Yôga, desportistas e profissionais que precisam de uma alimentação que proporcione o máximo ao corpo e à mente, não podem deixar de adquirir este livro.

COREOGRAFIAS DO SWÁSTHYA YÔGA (Anahí Flores): Este livro ensina a preparar sua prática diária em formato de coreografia, isto é, montando as técnicas encadeadas, fazendo-as brotar umas das outras, como se fazia no Yôga primitivo, antes do surgimento do conceito de repetição, o qual é bem moderno. A obra vem preencher uma importante lacuna ao proporcionar dicas e instruções práticas a respeito de como conseguir cumprir essa que é uma das mais importantes características do SwáSthya Yôga.É extremamente útil a quem pretenda ser demonstrador, bem como aos instrutores para enriquecer suas aulas.

INSPIRE, E AO EXPIRAR ESCREVA (Anahí Flores): É destinado a ajudar todos aqueles que gostariam de escrever seu primeiro livro e não sabem por onde começar. Com os conselhos, instruções e exercícios contidos nesta obra, todos os estudantes e profissionais serão capazes de elaborar e publicar suas teses com qualidade, correção e estilo.

LA DIETA DEL YÔGA (Edgardo Caramella): É um livro delicioso, cheio de receitas saborosas para você utilizar como argumento a favor do verdadeiro vegetarianismo, aquele que dá água na boca.

BIENVENIDO YÔGA (Edgardo Caramella): Um livro muito útil para iniciantes. Faz um resumo bastante acessível e aborda muito mais temas do que é comum encontrarmos em livros para leigos.

TÉCNICAS CORPORAIS DO YÔGA ANTIGO (Melina Flores): Trata-se de uma minuciosa compilação fotográfica e de nomenclatura, realizada com muito capricho, ordenando centenas de fotos por 108 famílias de ásanas.

SWÁSTHYA YÔGA NAS EMPRESAS (Joris Marengo): Aborda de forma bem didática a aplicação das técnicas do SwáSthya num ambiente diferente do de uma escola especializada. Como se dirigir ao praticante, que técnicas aplicar, que locução utilizar, que cuidados tomar (já que não ocorre a mesma seleção adotada nos estabelecimentos de ensino), tudo isso e muito mais este livro de Yôga laboral ensina ao leitor.

LÉXICO DO YÔGA ANTIGO (Lucila Silva): Um pequeno dicionário de termos sânscritos adotados pelo SwáSthya Yôga, com a grafia segundo a convenção adotada por nós e apresentando os significados de acordo com esta vertente cultural.

COMPLEMENTACIÓN PEDAGOGICA (Yael Barcesat): Este é o primeiro livro que chegou a ser concluído e editado sobre as classes de complementação pedagógica, contendo muitas dicas e recursos para auxiliar o instrutor a ministrar esse aprofundamento dirigido. Constitui uma grande ajuda para o aluno.

A PARÁBOLA DO CROISSANT (Rodrigo De Bona): O autor foi muito feliz ao conseguir tratar da quarta característica do SwáSthya Yôga – a seleção do público – com transparência e simpatia. Demonstrou que somos a escola mais seletiva desta área de ensino, mas, por outro lado, não cometemos nem aprovamos qualquer tipo de preconceito ou discriminação.

Vídeos e DVDs com demonstrações e curso teórico

COREOGRAFIAS: Este DVD é perfeito para mostrar aos parentes e amigos como é lindo, altamente técnico e profundamente artístico o trabalho corporal do SwáSthya Yôga. Muito bom para entreter os convidados num jantar, festa ou *rave*. O praticante pode colocar em câmara lenta, quadro a quadro, e tentar ir praticando junto, respeitando, evidentemente, os seus limites e a gradação progressiva.

CURSO BÁSICO: Coleção com 30 vídeos/DVDs, com aulas do Mestre DeRose sobre temas específicos como chakras, karma, kundalini, mantra, Tantra, alimentação biológica, Hinduísmo, a história do Yôga etc. Podem ser adquiridos separadamente ou todos juntos. O programa do curso encontra-se no livro ***Programa do***

Curso Básico, disponível em todas as nossas Unidades.

CURSOS ESPECIAIS: Além dos 30 vídeos/DVDs do Curso Básico, dispomos de vários cursos como o super divertido de Culinária Vegetariana, o de Treinamento de Ásanas (técnicas corporais), o de Conversa Franca com os Pais e outros. Informe-se com a Administração Central da Uni-Yôga.

DVDs COM AULAS E COM COREOGRAFIAS

PRÁTICA BÁSICA (locução do Mestre DeRose): Imagens com todas as técnicas descritas no CD de áudio. Fácil de acompanhar os respiratórios, técnicas orgânicas, relaxamento, meditação, mantras, mudrás, kriyás etc. com vários demonstradores.

SHOW DE SWÁSTHYA (de Rosana Ortega): sob a direção competente da instrutora de SwáSthya e coreógrafa Laura Ferro, a Cia. SwáSthya de Artes Cênicas nos brinda com um espetáculo lindíssimo de ásanas em palco de teatro. É uma experiência que muda a concepção de Yôga na opinião pública.

POSTERES

POSTER COM AS FOTOS DA PRÁTICA BÁSICA: Didático e decorativo, apresenta dezenas de fotografias de vários instrutores executando as técnicas descritas pormenorizadamente no CD *Prática Básica*.

POSTER DO SÚRYA NAMASKÁRA: Mostra a mais antiga coreografia, a única que ainda resta no acervo do Yôga Moderno, a Saudação ao Sol, em doze ásanas executados pelo próprio DeRose.

CDs DO MESTRE DeRose

YÔGA - PRÁTICA BÁSICA: Contém 84 exercícios entre técnicas corporais, respiratórios, relaxamentos, mantras, meditação, mudrás, kriyás e pújás com a descrição pormenorizada para permitir perfeita compreensão ao iniciante. As ilustrações referentes às técnicas, bem como instruções detalhadas encontram-se no livro *Tratado de Yôga*.

RELAX - REPROGRAMAÇÃO EMOCIONAL: Relaxamento profundo com ordens mentais para beneficiar a saúde, desenvolvimento interior, aprimoramento do caráter e dos costumes, obter maior produtividade no trabalho, nos estudos, nos esportes; melhor integração social e familiar. Para ser utilizada após a prática de Yôga ou antes de dormir. Ou, ainda, enquanto trabalha, lê etc. para que vá diretamente ao seu subconsciente. **Não deve, entretanto, ser utilizada enquanto conduz qualquer tipo de veículo ou enquanto opera máquinas por descontrair muito e, eventualmente, reduzir reflexos.**

DESENVOLVA A SUA MENTE: Ensina exercícios práticos para o aumento do controle mental, estimula o despertar de faculdades latentes e aprimora a sensitividade, visando a conduzir aos estados alfa, téta e outros mais profundos. Induz à meditação, ensina a transmitir força e saúde pelo pensamento, testa o índice de paranormalidade, treina a projeção astral e oferece muitos outros exercícios.

SÁDHANA: Música hindu utilizada como fundo musical dos CDs *Prática Básica*, *Reprogramação Emocional* e *Desenvolva a sua mente*.

MENSAGENS: Apresenta uma excelente seleção de Mensagens do Mestre DeRose, gravadas na voz do próprio autor. Umas são bem profundas e iniciáticas. Outras são sensíveis e capazes de despertar sentimentos elevados. Para o praticante de Yôga pode constituir uma reeducação comportamental. Serve, ainda, como um presente delicado para dar aos seus melhores amigos.

SÂNSCRITO - TREINAMENTO DE PRONÚNCIA: Não cometa mais gafes! Alguns termos mal pronunciados podem ter significados embaraçosos... Gravada na Índia por um Mestre de sânscrito para hindus, este CD contém entrevistas com swâmis indianos sobre a importância mântrica de pronunciar corretamente os termos técnicos do Yôga, explanações teóricas e exercícios de dicção. O apoio bibliográfico a esta gravação são os livros *Tratado de Yôga* e *Tudo o que você nunca quis saber sobre Yôga*.

SAT CHAKRA - CÍRCULO DE ENERGIA: Gravada originalmente nos Himálayas por DeRose, contém respiratórios, mantras, mentalizações, técnicas de projeção e canalização de energia para fortalecimento pessoal, bem como para moldagem do futuro de cada participante. É utilizada por praticantes e professores de todo o mundo para estabelecer uma forte sintonia recíproca. Os demais interessados podem adquirir o CD de sat chakra para reunir seus familiares ou amigos e praticar este poderoso exercício gregário.

VIBRATIONS: Mais de 60 minutos de uma harmoniosa vibração de um instrumento de cordas indiano denominado tampúra. Pode ser utilizado como fundo para a sua prática de Yôga, para meditação, relaxamento, suporte de mantra etc.

ÔM: Vocalização do ÔM contínuo na voz do Mestre DeRose e um grupo de instrutores de SwáSthya Yôga. "Em todas as escrituras da Índia antiga o ÔM é considerado como o mais poderoso de todos os mantras. Os outros são considerados aspectos do ÔM e o ÔM é a matriz de todos os demais mantras. É denominado mátriká mantra, ou som matricial."

CDs RECOMENDADOS DE OUTROS AUTORES

MANTRA (Edgardo Caramella): Este CD é recomendado para escutar em casa, no carro e até para animar as festas! É lindíssimo, acompanhado de uma primorosa percussão executada pelos próprios instrutores de SwáSthya que fazem parte do coro. Foi produzido por uma das representações da Universidade de Yôga na Argentina.

COREOGRAPHIA (do shakta ZéPaulo): Músicas orquestradas, sem vocal, cronometradas no tempo certo, para utilizar na demonstração de coreografias. Também podem ser utilizadas como música ambiente. Constitui um trabalho impecável. Foi produzido por uma das representações da Universidade de Yôga em Portugal.

MEDITE (Rosana Ortega): Apresenta diversas induções para meditação, ideal para iniciantes.

MEDALHA COM O ÔM
(SÍMBOLO UNIVERSAL DO YÔGA)

Cunhada em forma antiga, representa de um lado o ÔM em alto relevo, circundado por outras inscrições sânscritas. No reverso, o ashtánga yantra, poderoso símbolo do SwáSthya Yôga. O ÔM é o mais importante mantra do Yôga e atua diretamente no ájña chakra, a terceira visão, entre as sobrancelhas. Para maiores informações sobre o ÔM, a medalha, o ashtánga yantra e os chakras, consulte o livro **Tratado de Yôga**.

> * Em respeito ao leitor e para preservar nossa boa imagem, sentimo-nos na obrigação de informar que tem gente produzindo e comercializando, sem a nossa autorização, cópias piratas desta medalha, algumas com péssimo acabamento e com erros nas inscrições sânscritas.
>
> Informamos que a Medalha com o ÔM está registrada no INPI como propriedade industrial e na Biblioteca Nacional como propriedade intelectual.
>
> Se alguma empresa desejar reproduzi-la deverá entrar em contato conosco pelo telefone (11) 3081-9821, celular (11) 9976-0516 e-mail: presidente@uni-yoga.org para obter autorização.

INDICAÇÃO DE ALGUNS SITES QUE FORNECEM MATERIAL DIDÁTICO:

www.yogabooks.com.br (Brasil)
www.portaldeyoga.com.br (Brasil)
www.mundodoyoga.com.br (Brasil)
www.universoyoga.org.br (Brasil)
www.tudosobreyoga.org (Portugal)
www.yoga.online.pt (Portugal)
www.yogashop.com.pt (Portugal)
www.yogaabasto.com.ar (Argentina)
www.federaciondeyoga.org.ar (Argentina)

Apenas indicamos os sites acima por uma questão de utilidade pública ao leitor, mas não assumimos nenhuma responsabilidade pelos serviços prestados por eles.

Se você tiver algum site que forneça nosso material didático, queira nos informar para que insiramos seu endereço, gratuitamente, nesta página.

PARA QUE SER FILIADO À UNI-YÔGA

A motivação maior das pessoas é o carinho e a vontade de fazer parte desta grande família criada pelo Mestre DeRose. Contudo, uma filiação traz certas vantagens. Algumas delas são (por ordem de importância):

1. Ter o privilégio de poder **declarar-se filiado** à União Nacional de Yôga.

2. Contar com o **respaldo do nome e da experiência** do Mestre DeRose.

3. Trocar conhecimentos e desfrutar de um largo **círculo de amizades** com outros instrutores de Yôga.

SE FOR CREDENCIADO:

4. **Ser convidado** para dar cursos ou fornecer algum produto seu noutras cidades.

5. Ter a possibilidade de **ocupar o cargo de Presidente da Associação de Professores de Yôga** da sua cidade (deixando de ser Credenciado, precisará devolver a pasta).

6. Contar com **descontos** em cursos e eventos para o Diretor, os Instrutores e os praticantes da sua Unidade.

7. Contar com **descontos na compra** de livros, CDs, vídeos e outros produtos da Uni-Yôga.

8. Ter **gratuidade** ao participar de cursos, congressos e festivais que forem classificados como prioridade A.

9. **Ser indicado** pela União Internacional de Yôga como um instrutor sério e competente.

10. Seus alunos poderão **frequentar gratuitamente as demais unidades da rede** quando em viagem por todo o Brasil e várias no exterior.

11. Ter a possibilidade de se cotizar com os demais filiados para a publicação de **divulgação em veículos nobres**.

12. Todos os demais benefícios de fazer parte de uma grande rede de associações de SwáSthya Yôga, inclusive o de **estar sempre atualizado**, recebendo notícias e as últimas novidades para saber o que está acontecendo na área de Yôga, o **intercâmbio** cultural, a documentação, o aprimoramento contínuo e o **apoio** dos seus companheiros, não apenas para o trabalho, mas para a vida social. **Afinal, ninguém pode ficar só.** Todo instrutor de Yôga deve estar filiado a alguma entidade. A questão é fazer uma escolha acertada.

O que é a
Universidade de Yôga

Não temos cursos de terceiro grau. Utilizamos o termo universidade no sentido lato e arcaico.

Universidade de Yôga é o nome da entidade legalmente registrada em cartório de Registro Civil das Pessoas Jurídicas. Essa é a **razão social**. Temos dois registros: um como **Primeira Universidade de Yôga do Brasil**, registrada nos termos dos arts. 45 e 46 do Código Civil Brasileiro sob o no. 37959 no 6o. Ofício e outro como **Universidade Internacional de Yôga**, registrada sob o no. 232.558/94 no 3o. RTD, com jurisdição mais abrangente, para promover atividades culturais na América Latina e Europa.

Definição Jurídica

Universidade de Yôga é o nome do convênio celebrado entre a União Nacional de Yôga, as Federações de Yôga dos Estados e as Universidades Federais, Estaduais, Católicas ou outras particulares que o firmarem, visando à formação de instrutores de Yôga em cursos de extensão universitária. Esse convênio apenas formaliza e dá continuidade ao programa de profissionalização que vem se realizando sob a nossa tutela, naquelas Universidades desde a década de 70 em praticamente todo o país.

Proposta e Justificativa

Queremos compartilhar com você uma das maiores conquistas da nossa classe profissional. Nos moldes das grandes Universidades Livres que existem na Europa e Estados Unidos há muito tempo, foi fundada em 1994 a **Primeira Universidade de Yôga do Brasil**.

Inicialmente, esta entidade não pretende ser um estabelecimento de ensino superior e sim ater-se ao conceito arcaico do termo *universitas*: totalidade, conjunto. Na Idade Média, *universitas* veio a ser usada para designar "corporação". Em Bolonha o termo foi aplicado à *corporação de estudantes*. Em Paris, ao contrário, foi aplicado ao conjunto de professores e alunos (***universitas magistrorum et scholarium***). Em Portugal, *universidade* acha-se documentado no sentido de "*totalidade, conjunto (de pessoas)*", nas Ordenações Afonsinas (Dicionário Etimológico da Língua Portuguesa). O *Dicionário da Língua Portuguesa Contemporânea*, da Academia das Ciências de Lisboa, oferece como primeiro significado da palavra universidade: "conjunto de elementos ou de coisas consideradas no seu todo. Generalidade, totalidade, universalidade". No Brasil, o *Dicionário Michaelis* define como primeiro significado da palavra universidade: "totalidade, universalidade". E o *Dicionário Houaiss*, define como primeiro significado: "qualidade ou condição de universal". Portanto, o conceito de que Universidade seja um conjunto de faculdades é apenas um estereótipo contemporâneo.

Tampouco somos os primeiros a idealizar este tipo de instituição. A Universidade Livre de Música Tom Jobim (mantida pelo Estado de São Paulo), a Universidade

Corporativa Visa (de São Paulo), a Universidade SEBRAE de Negócios (de Porto Alegre), a Universidade Holística (de Brasília), a Universidade Livre do Meio Ambiente (de Curitiba), a Universidade de Franchising (de São Paulo) e a Universidade do Cavalo (de São Paulo) são alguns dos muitos exemplos que podemos citar como precedentes.

O que importa é que a sementinha está lançada e queremos compartilhá-la com todos os nossos colegas. Conto com o seu apoio para fazermos uma **UNIVERSIDADE DE YÔGA** digna desse nome!

Comendador DeRose
Professor Doutor *Honoris Causa* pela Faculdade de Ciências Sociais de Florianópolis
Notório Saber pela Faculdade Pitágoras (MG), pelas Faculdades Integradas Coração de Jesus (SP) etc.
Comendador por várias entidades culturais e humanitárias
Conselheiro Emérito da Ordem dos Parlamentares do Brasil
Conselheiro da Academia Brasileira de Arte, Cultura e História
Grão-Mestre Honorário da Ordem do Mérito das Índias Orientais, de Portugal
Adido Cultural da Université de Yôga de Paris e do Yôga College of London

CARTA ABERTA AOS MÉDICOS

Prezado Doutor.

A bem da honestidade é nosso dever informar que o nosso Método <u>não é</u> uma terapia. Não é para enfermos, nem para idosos, nem para pessoas com problemas. O instrutor de Yôga não tem formação de terapeuta e, por uma questão de seriedade, não pode extrapolar sua atuação para além dos limites legais e morais da profissão. Tanto a ética quanto a legislação assim o determinam.

Um dos motivos deste posicionamento é o fato de que nós não conseguiríamos ensinar verdadeiramente Yôga àquele público. Há algum tempo surgiram, principalmente no Ocidente, interpretações consumistas diferentes da que acabamos de expor. Tal distorção foi gerada pelo fato de o Yôga, praticamente, não ter contra-indicações (consulte as explanações da página anterior). Isso criou a ilusão de que seria uma alternativa para quem não contasse com idade ou saúde para dedicar-se aos esportes. Não é assim.

O Yôga Antigo (SwáSthya Yôga) nada tem a ver com a imagem ingênua que lhe foi atribuída por ensinantes sem habilitação. É forte, mas possui a característica de respeitar o ritmo da cada um.

O Método DeRose trata-se de um conjunto de técnicas para pessoas jovens e saudáveis, que desejam preservar a saúde, aumentar a energia, reduzir o stress e maximizar seu rendimento no trabalho, na arte, nos estudos e nos esportes.

Isto posto, queremos convidar o prezado leitor Médico a experimentar o método para confirmar seu sofisticado nível técnico. E colocamos nossas instalações à disposição dos seus pacientes jovens que estejam saudáveis e necessitem apenas fazer exercícios inteligentes*.

Cordialmente,

* Os portadores de problemas psicológicos, psiquiátricos ou neurológicos não devem ser encaminhados à prática deste Método. Um Yôga verdadeiro e forte poderia agravar seus males.

Advertência

O SwáSthya Yôga cresceu muito nas últimas décadas e difundiu-se por toda parte. Centenas de estabelecimentos sérios e milhares de profissionais honestos estão realizando um ótimo trabalho nos núcleos de Yôga, bem como nas empresas, clubes e academias de todo o país. Nas livrarias, os livros de SwáSthya Yôga não esquentam prateleira. Assim que chegam, esgotam-se.

No entanto, precisamos reconhecer o outro lado da medalha: bastante gente diz que ensina SwáSthya Yôga, mas muitos nem sequer prestaram exame na Federação, outros foram reprovados, outros nem curso de formação fizeram, e todos esses tentam vender um grosseiro engodo aos seus crédulos alunos.

Para defender-se, bem como proteger a sua saúde e poupar o seu dinheiro, tome as seguintes precauções:

1. Peça, cordialmente, para ver o certificado do profissional. Algo como: "Ouvi dizer que o certificado de Instrutor de Yôga do Mestre DeRose é lindíssimo! Dizem que o documento é expedido por Universidades Federais, Estaduais e Católicas. Eu gostaria de vê-lo. Você pode me mostrar o seu?"

2. Se o ensinante não mostrar, desconfie. Por que alguém não teria todo o interesse e satisfação em exibir seu certificado de instrutor de Yôga? Ele se melindrou? Então é porque não é formado. Fuja enquanto é tempo.

3. Se o profissional mostrar algum papel, leia com atenção para constatar se o documento declara expressamente que é um Certificado de Instrutor de Yôga, ou se é apenas um certificado de pequenos cursos, que qualquer aluno pode conseguir num workshop de duas horas, o qual, obviamente, não autoriza a lecionar. Verifique também se não é uma mera falsificação feita em casa, no computador. Se for, denuncie. Lugar de falsário é na cadeia.

4. Confirme pelos telefones da Uni-Yôga, (11) 3081-9821 e 3088-9491, se essa pessoa é mesmo formada, se o seu certificado é verdadeiro e se permanece válido. Casos de descumprimento da ética, de desonestidade ou de indisciplina grave podem resultar na cassação da validade do certificado. Você não gostaria de ser aluno de uma pessoa com esse tipo de caráter, gostaria?

5. Independentemente de o profissional ser mesmo formado e seu certificado estar válido, caso ele ensine algo que esteja em desacordo com os livros do codificador do SwáSthya Yôga, o Mestre DeRose, essa é uma demonstração cabal de que não está havendo fidelidade. Não aceite um instrutor que adultere o método. A garantia de segurança e autenticidade só existem se o método for respeitado na íntegra. Portanto, é importante que você, aluno, leia os livros de SwáSthya Yôga recomendados na bibliografia, assista aos vídeos com aulas e utilize os CDs de prática. Se tiver dificuldade em encontrá-los, ligue para a Uni-Yôga pelos telefones acima.

Com estes cuidados, temos a certeza de que você estará respaldado por uma estrutura de seriedade, honestidade e competência que lhe deixarão plenamente satisfeito.

O QUE AS ESCOLAS E ASSOCIAÇÕES CREDENCIADAS OFERECEM A VOCÊ

Desenvolvemos um trabalho extremamente sério e gostamos que seja assim. Nosso público também gosta. Dessa forma, se a sua escola ou associação não têm:

- **Processo seletivo para admissão ao Yôga;**
- **Testes mensais para avaliação de aproveitamento;**
- **Estrutura com doze atividades culturais;**

Então, sentimos informar: se não oferece os três itens acima, não é uma escola ou associação credenciada, mesmo que o seus dados ainda constem da relação dos nossos endereços. Quanto ao terceiro item, confira abaixo em que consiste.

ESTRUTURA COM DOZE ATIVIDADES CULTURAIS

Oferecemos um programa diversificado com doze atividades culturais, visando, essencialmente, à formação profissional e que permite aos mais dedicados comparecer de segunda a sábado e, cada dia, praticar ou estudar coisas diferentes.

PRÉ-REQUISITO:

1. **curso básico**, uma vez por semana, com o auxílio dos vídeos /DVDs com as aulas ministradas pelo Mestre DeRose na Sede Central da Uni-Yôga.

ATIVIDADES ELETIVAS (INCLUÍDAS NA MENSALIDADE):

2. **mantra (sat sanga);**

3. **meditação;**

4. **mentalização (sat chakra);**

5. **treinamento de coreografia;**

6. **círculo de leitura;**

7. **prática regular com a orientação de instrutores formados;**

8. **horários para a prática livre, sem instrutor;**

9. **biblioteca, com livros, vídeos e Cds;**

10. **mostras de vídeo: com documentários e filmes pertinentes.**

ATIVIDADES COMPLEMENTARES (NÃO INCLUÍDAS NA MENSALIDADE):

11. **cursos e workshops:** com autoridades nacionais e internacionais em fins-de-semana;

12. **além das atividades acima, que todas as Unidades mantêm**, cada qual promove algumas outras atividades recreativas, tais como jogos, jantares, festas, bazares, passeios, recreação, culinária etc.

Instrutores Credenciados pelo Método DeRose
Em Todo o Brasil e no Exterior
Peça sempre referências do instrutor pelos nossos telefones

Há mais de 6000 instrutores que foram formados pelo Mestre DeRose em todo o Brasil e no exterior nos últimos quase 50 anos. Não aceite a simples declaração feita por um instrutor ou estabelecimento, de que ele seja nosso representante, filiado ou credenciado. Muita gente o declara sem ser. O fato de terem sido formados por DeRose não significa que estejam filiados à Uni-Yôga ou que sejam supervisionados por ele. Só a supervisão constante, os exames anuais de revalidação e o controle de qualidade do credenciamento podem garantir o padrão de exigência e sobriedade que nos caracterizam.

A maior do mundo

Nossa entidade é a maior rede de Yôga técnico do mundo, com centenas de escolas e associações filiadas no Brasil e noutros países das Américas e Europa. Apesar disso, continuamos com o mesmo zelo e atenção pelo aluno, o que constitui o segredo do nosso sucesso: turmas pequenas, orientação personalizada e instrutores de Yôga formados nas Universidades Federais, Estaduais, Católicas e nas melhores particulares, selecionados entre os que foram aprovados com excelência técnica.

No entanto, DeRose só tem uma sede, na Al. Jaú 2000 em São Paulo

Levam o nome DeRose as entidades (escolas, núcleos, associações, espaços culturais, federações) que reconhecem a importância da obra desse educador e que acatam a metodologia por ele proposta. É como a rede mundial de escolas Montessori. São milhares. Nem por isso alguém acha que pertençam à professora Maria Montessori. Apenas um endereço pertence ao Mestre DeRose. As demais, cada qual tem o seu proprietário, diretor ou presidente. Todas decidiram associar-se por uma questão de intercâmbio cultural e outras facilidades operacionais. Isso não tem nada a ver com franquia, filiais, sucursais ou assemelhados.

A lista de endereços

Certamente temos uma escola ou associação credenciada perto de você. Desejando a direção da mais próxima, visite o nosso **site www.uni-yoga.org** ou entre em contato com a Central de Informações da **União Nacional de Yôga**, tel.: (11) 3064-3949 e 3082-4514.

Por disposição estatutária, só podem ser divulgados como Credenciadas as instituições que estejam em dia com seus compromissos de quaisquer naturezas com a União Nacional de Yôga. Se você solicitar um endereço e a Central informar que essa Unidade está com o "credenciamento sob interdição", isso significa que ela deixou de satisfazer a algum requisito do nosso exigente controle de qualidade. Contudo, esse endereço poderá constar no nosso site, na relação de instrutores não filiados à Uni-Yôga ou na de instrutores de outras linhas de Yôga.

Caso você tenha interesse em tornar-se instrutor de SwáSthya Yôga e/ou representá-lo na sua cidade, pegue o telefone e entre em contato conosco agora mesmo. É importante fazer-nos saber que deseja trabalhar conosco e expandir o Yôga pelo nosso país e pelo mundo. Conte conosco. Queremos ajudar você.

INSTRUTORES CREDENCIADOS EFETIVOS

Dispomos de centenas de Instrutores Credenciados em todo o Brasil, Argentina, Chile, Portugal, Espanha, França, Itália, Inglaterra, Escócia, Alemanha e Estados Unidos. Desejando a direção da Unidade mais próxima, visite o nosso *site* **www.uni-yoga.org** ou entre em contato com a Central de Informações da **União Nacional de Yôga**, tel.: (11) 3064-3949 e 3082-4514.

FACILIDADE AOS NOSSOS ALUNOS: Se você estiver inscrito em qualquer uma das Unidades Credenciadas, terá o direito de frequentar gratuitamente várias outras Credenciadas quando em viagem, desde que comprove estar em dia com a sua Unidade de origem e apresente o passaporte da Uni-Yôga acompanhado dos documentos solicitados (conveniência esta sujeita à disponibilidade de vaga).

SÃO PAULO – AL. JAÚ, 2000 – TEL. (11) 3081-9821 E 3088-9491.

Os demais endereços atualizados você encontra no nosso *website*:

O *site* referência do Yôga

www.uni-yoga.org

Entre no nosso site e assista gratuitamente a mais de 60 aulas do Mestre DeRose sobre: origens do Yôga, meditação, mantra, sânscrito, alimentação biológica, karma e dharma, chakras, kundaliní, corpos do homem e planos do universo, o tronco do Yôga Pré-Clássico, as 4 grandes linhas do Yôga, os 108 ramos do Yôga, a relação Mestre/discípulo na tradição oriental, hinduismo e escrituras hindus, e outras dezenas de assuntos interessantes.

Faça download gratuito de vários livros do Mestre DeRose, bem como CDs com aulas práticas de SwáSthya Yôga, relaxamento, meditação, mantras, mensagens etc., além de acessar os endereços de mais de mil de instrutores de diversas linhas de Yôga, Yóga, Yoga e ioga.

E, se gostar, recomende nosso site aos seus amigos!

www.uni-yoga.org

O *site* referência do Yôga

O *website* da Universidade de Yôga não vende nada. Mas contém uma quantidade inimaginável de informações e instruções – teóricas e práticas – sobre o Yôga Antigo.

O site permite *downloads* gratuitos de diversos livros em português, espanhol, italiano e alemão (brevemente, em inglês, francês), MP3 de diversos CDs com aulas práticas de SwáSthya Yôga em português e espanhol, reprogramação emocional, meditação, mantras, música, mensagens etc.

Disponibilizamos mais de 60 aulas gravadas pelo Mestre DeRose, possibilitando a interação com estudantes de todo o Brasil e de todo o mundo através do blog (www.Uni-Yoga.org/blogdoderose). Tudo sem ônus algum. É o único site de Yôga com essas características.

Divulgamos gratuitamente os endereços de mais de mil instrutores de todos os tipos de Yôga, Yóga, Yoga e ioga. Se você for instrutor e o seu endereço não estiver lá, queira inseri-lo com as ferramentas do próprio site ou entrar em contato telefônico com a Administração Central (11) 3064-3949 e 3082-4514.

Acreditamos que esse site brasileiro seja o maior site de Yôga do mundo, considerando o conteúdo dos livros, fotos, aulas e CDs que podem ser baixados sem custo para o usuário. Além disso, está disponível um farto material especialmente para facilitar o trabalho de jornalistas que tenham alguma pauta relacionada com o tema.

Não abrimos concessão aos modismos estereotipados, nem às invencionices comerciais, nem ao comportamento questionável de vender benefícios, terapias ou misticismos. O trabalho da Uni-Yôga é sério e nosso foco é o Yôga Ancestral, sua filosofia de autoconhe-cimento e a formação profissionalizante de bons instrutores que tenham essa mesma visão.

Nossa Jurisdição atualmente compreende Brasil, Argentina, Chile, Portugal, Espanha, França, Inglaterra, Escócia, Alemanha, Itália e Estados Unidos. Em experiência: Austrália, Polônia, Havaí, Guatemala, República Dominicana e Indonésia.